Corrigé des exercices de la grammaire

01

C'est une Bardot, une Monroe

C'est une Bardot, une Monroe
Secrétaire pas chère dans un carré de verre
Entre ciel et terre.
L'amour est parti. Les enfants ont grandi.
Elle n'a pas eu le premier rôle
Et déjà commence la nuit...

C'est une blonde des Grandes Prairies
Qui change de ville quand elle veut changer de vie.
Épuisée d'entendre dire : « Ne rêve pas trop »,
Elle veut s'enfuir c'est elle le palomino
Parmi les noirs et les bruns chevaux.

Demain, ce sera son anniversaire,
Même les roses seront des pièges.
Les hommes souvent donnent
Ce qu'ils demandent, en vérité.
Elle ne veut plus être belle
Les cadeaux sont toujours à payer.

C'est une Bardot, une Monroe
Après les hommes,
C'est le temps qui lui fait la guerre :
La victoire embellit tous les âges
La défaite éteint la plus belle image.

Pauvresse, l'art est son aristocratie
Mais comment croire en ce qu'elle ne fait pas
Ce qu'elle dit ?
Faire ce que l'on aime
N'en finit pas de courage.

Le bonheur n'est pas un idiot :
De s'aimer soi rencontre les rois.

Louis-Gilles Molyneux

Extrait du CD de Louis-Gilles Molyneux : *Le rêveur téméraire*

01- Corrigé de la grammaire...

Atelier 1 - **Les natures**

(corrigé de la page 9)

1. Les minuscules fleurs des champs poussent encore, elles
   D Adj. N D N V A P
   sont rouges.
   V Adj.
2. Les montagnes vertes de ces villages anciens me rendent
   D N Adj. D N Adj. P V
   toujours paisible.
   A Adj.
3. La faune et la flore réagissent mal aux assauts continus
   D N D N V A D N Adj. (PP)
   des hommes.
   D N
4. Nous les aimons follement, les chaudes nuits d'été.
   P P V A D Adj. N N
5. Nous les lisons facilement ces phrases simples, courtes, précises.
   P P V A D N Adj. Adj. Adj.
6. Tu rentres le soir, souvent colérique, après ta dure journée.
   P V D N A Adj. A D Adj. N
7. Vous le voyez cet enfant? Il manipule ses jouets précautionneusement.
   P P V D N P V D N A
8. La mort nous surprend un beau matin, elle ne nous avertit pas ;
   D N P V D Adj. N P A P V A
   on ne la voit pas venir.
   P A P V A V
9. Ce petit travail, tu le feras : il favorise l' apprentissage.
   D Adj. N P P V P V D N
10. Les efforts soutenus donnent toujours de bons résultats.
    D N Adj. (PP) V A D Adj. N
11. Les lampadaires jaunes éclairent peu les ruelles sombres.
    D N Adj. V A D N Adj.
12. Les pommes rougissent rapidement, vous les mangerez bientôt.
    D N V A P P V A
13. Les immenses tours sont belles et invitantes.
    D Adj. N V Adj. Adj.
14. Raffoles-tu des saucissons? Tes enfants, eux, les détestent.
    V P D N D N P P V
15. Tu aimes la poésie? Moi, je l' adore, elle me console souvent.
    P V D N P P P V P P V A

Atelier 1 - **Les fonctions**

(corrigé des pages 13 et 14)

1. Les minuscules fleurs (des champs) poussent encore, elles
   S (CDN) V CC S
   sont rouges.
   V Att.
2. Les montagnes vertes (de ces villages anciens) me rendent
   S (CDN) CDV V
   toujours paisible.
   CC Att.

3. La faune et la flore réagissent mal (aux assauts continus des hommes).
S V CC (CIV)

4. Nous les aimons follement, (les chaudes nuits d'été).
S CDV V CC (CDV)

5. Nous les lisons facilement (ces phrases simples, courtes, précises).
S CDV V CC (CDV)

6. Tu rentres (le soir), (souvent colérique), (après ta dure journée).
S V CC CC (CC)

7. Vous le voyez (cet enfant)? Il manipule (ses jouets) précautionneusement.
S CDV V (CDV) S V (CDV) CC

8. La mort nous surprend (un beau matin), elle ne nous avertit pas ; on ne la voit pas venir.
S CDV V (CC) S (CDV) V S CDV V V

9. (Ce petit travail), tu le feras : il favorise (l'apprentissage).
(CDV) S CDV V S V (CDV)

10. Les efforts soutenus donnent toujours (de bons résultats).
S V CC (CDV)

11. Les lampadaires jaunes éclairent peu (les ruelles sombres).
S V CC (CDV)

12. Les pommes rougissent rapidement, vous les mangerez bientôt.
S V CC S CDV V CC

13. Les immenses tours sont (belles et invitantes).
S V (Att.)

14. Raffoles-tu (des saucissons)? Tes enfants, eux, les détestent.
V S (CIV) S CDV V

15. Tu aimes (la poésie)? Moi, je l'adore, elle me console souvent.
S V (CDV) S S CDV V S CDV V CC

16. Tu comprends mieux (la nature des mots), maintenant.
S V CC (CDV) CDN CC

17. Demain, mes amis iront voir (ce spectacle enivrant).
CC S V V (CDV)

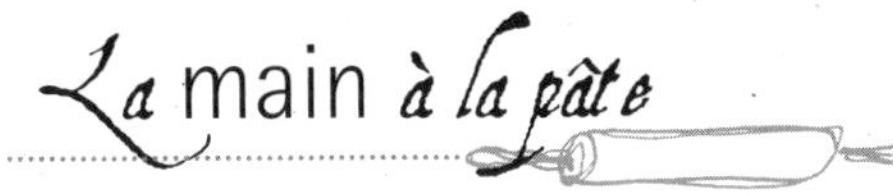

Atelier 2 - **Qui commande qui ?**

(corrigé des pages 19 et 20)

1. Les court**es** phrase**s** que tu a**s** sous les yeux t'aideron**t** à mieux comprendre.
2. La petit**e** boîte rond**e** de ma genti**lle** grand-mère servai**t** à mettre ses chapeau**x**.
3. Les fille**s** de cette classe étai**ent** forte**s** et fière**s**, et elle**s** adorai**ent** les cours qu'elle**s** trouvai**ent** intéressant**s**.
4. Les jour**s** son**t** plus long**s** en automne et nous devon**s** nous armer de courage en attendant l'arrivée si dou**ce** du printemps.
5. Ces enfant**s**, elles les aime**nt** de tout leur cœur, car ils se montre**nt** toujours poli**s** et tendre**s** avec les voisin**s**, les parent**s** et les ami**s**.
6. Ces joli**es** chanson**s** que tu fredonne**s** me rappelle**nt** les belle**s** journée**s** passé**es** à la campagne.
7. Des famille**s** entière**s** doiv**ent** souvent quitter leur pays, en temps de guerre.

8. Ces pauvre**s** villageois attendai**ent** l'arrivée des soldat**s** pour sortir de ces lieux sombre**s** et froid**s** où la guerre les avai**t** amenés.
9. Ils dise**nt** que tu a**s** des problème**s**, mais moi je vois que tu a**s** de bel**les** solution**s**.
10. Les homme**s** et les femme**s** veul**ent** souvent les même**s** chose**s**, mais ils ne le demande**nt** pas de la même faço**n**.
11. Ses parole**s** douce**s** et réconfortante**s** me trotte**nt** souvent dans la tête quand j'ai des ennui**s**.
12. Nicole avai**t** des robe**s** bleu**es**, des tailleur**s** brun**s** et des soulier**s** de toute**s** les couleur**s**.
13. Ils cultivai**ent** des marguerite**s** géante**s**.
14. Pendant les rare**s** moment**s** de pause, ils bricole**nt**.
15. Où iron**t** tout**es** ces splendide**s** lettre**s** d'amour ?
16. Lyne et Marie n'aime**nt** pas les voisin**s** tapageur**s**.
17. Ils nous parleron**t** de toute**s** les joie**s** profonde**s**.
18. Ton accueil et ta sympathie naturel**le** démontr**ent** ton savoir-vivre.
19. Tous leur**s** exploit**s**, ils nous les auron**t** racontés bien avant la fin de la soirée.
20. Ce sont vos chose**s** que vous nous donne**z**.
21. Vous arrive**rez** à l'heure que nous vous préciseron**s**.
22. Ils nous rendron**t** ces pierres ronde**s**.
23. Les rhume**s** et les grippe**s** surviennen**t** l'hiver.
24. Les personne**s** allergique**s** présente**nt** souvent les même**s** symptôme**s**.
25. Elles arrivai**ent** avec des joli**es** surprise**s**.

Atelier 3 - **Les pronoms-écrans**
(corrigé des pages 23 et 24)

1. Ils nous reverron**t** dès demain matin.
2. Je vous occuper**ai** demain, par des jeux de toutes sortes.
3. Ils nous trouveron**t** gentils et aimables.
4. Je vous avancer**ai** cette somme, dès demain.
5. Ses passe-temps, il les appréci**e** beaucoup.
6. Ces chutes, vous les éviter**ez** en étant attentifs.
7. Ils nous parleron**t** demain, disaient Karine et Sonia.
8. Ses patins, il les rang**e** si mal !
9. Vous nous écrir**ez** cette belle histoire.
10. Ces jardins fleuris, on les arros**e** tous les jours ; ainsi, on les trouv**e** plus jolis.
11. Ils nous tiendron**t** au courant de ton état de santé.
12. Ses souvenirs, il les relat**e** avec plaisir.
13. Vous nous parler**ez** de vos activités dès votre retour.
14. Dès ce soir, ils nous réconforter**ont**.
15. Ces nouvelles, vous nous les raconter**ez** demain.
16. Je vous les vendr**ai**, mes vieux objets.
17. Ils nous aur**ont** tout donné avant la fin de la soirée.

18. Vous nous dir**ez** la vérité, sinon nous ne vous croir**ons** plus.
19. Ces heures de loisir, ils les passeron**t** avec nous.
20. Nous vous regardon**s** avec la plus pure des joies.
21. Tes règles, tu les oubli**es** très peu souvent.
22. Vous nous adorer**ez** lors de notre prochain spectacle.
23. Ils le mène**nt** par le bout du nez.
24. Pascal et Cindy nous la mim**ent**, cette histoire drôle.
25. La tarte et le potage nous seron**t** servis à 20 heures.
26. Les éditeurs nous publieron**t** en décembre prochain et ils nous contacteron**t** chaque semaine, d'ici là.

Atelier 4 - **Les homophones : er, é**
(corrigé des pages 27 et 28)

1. Il vient de mang**er** et il ne sait plus s'il peut aval**er**.
2. Il a tout confi**é** à sa meilleure amie.
3. Il est arriv**é** avec une heure de retard.
4. Viens-tu me rencontr**er** comme tu l'as propos**é** ?
5. Aimes-tu toujours autant rigol**er** pendant les cours ?
6. As-tu nettoy**é** toute la saleté de ces planchers ?
7. Il veut travaill**er**, mais sans se fatigu**er**.
8. Il doit se décid**er** afin de savoir où il peut all**er**, ce qu'il veut apport**er**, ce qu'il désire laiss**er**.
9. Il est arriv**é** sans que j'aie à lui rappel**er** notre rendez-vous.
10. Il faut pens**er** avant de s'inquiét**er**, me disait ma grand-mère avant de nous quitt**er**.

Atelier 4 - **Les homophones : é, ée, ai, ez**
(corrigé des pages 28 et 29)

1. Il veut les invit**er**, mais il ne peut y arriv**er**, car il n'a pas termin**é** ses dernières lettres.
2. Il y a toujours lieu d'espér**er**, me disait le professeur que j'ai le plus admir**é**.
3. Est-ce que vous viendr**ez** à cette rencontre organis**ée** par le comité ?
4. Je vous aimer**ai** et je vous respecter**ai**, mais à la condition que vous en fassi**ez** autant et que vous me respecti**ez** également.
5. Il ne faut pas que vous gêni**ez** les travailleurs.
6. Mon père est arriv**é** avec trois heures de retard, cela m'a inquiét**é**(**e**) et je n'ai jamais aim**é** m'inquiét**er**.
7. Je te prêter**ai** ce que tu m'as demand**é**, mais pour cela, il me faudra beaucoup travaill**er**.

8. Ces tâches, je vous les confier**ai** volontiers si vous me le demand**ez**, mais il faut que vous jugi**ez** bon de le faire.
9. Je l'ai appel**é** dès ce matin, mais il n'est pas arriv**é**.
10. Vous pourri**ez** bien me dict**er** ces quelques phrases, ensuite je pourr**ai** mieux vous aid**er**.
11. Il va particip**er** à ce grand tournoi que j'ai organis**é**.
12. Veux-tu me parl**er** de ce merveilleux voyage dont tu avais tant rêv**é**?
13. Chers élèves, vous avouer**ez** que les homophones en É ne sont pas aussi difficiles que vous l'avi**ez** d'abord pens**é**.

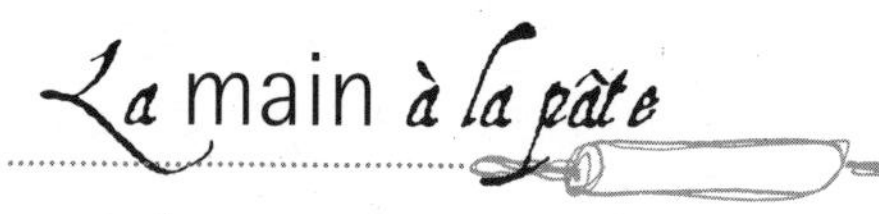

Atelier 4 - **Les homophones : ce, se, où, ou, etc.**
(corrigé des pages 34 et 35)

1. Elles **sont** ici, assises **à** leur pupitre.
2. **On** vous **a** dit de revenir **à** seize heures.
3. **Ce** pupitre est trop étroit pour moi, **c'est** son frère qui me l'**a** donné.
4. Elles **se** parlent sur le bord du canal, **ce sont** deux sœurs.
5. **Où** es-tu allé chercher de si belles idées?
6. Elles **se** sont parlé longuement, mais **où**, je n'en sais rien.
7. Les filles, **ce sont** vos vêtements qui **sont** là?
8. **C'est** vrai qu'elles ne **se** voient plus, depuis **ce** jour **où** elles **se sont** disputées.
9. **Où** as-tu eu cette bonne idée? **À** l'école **ou à** la maison?
10. **C'est** en **se** rappelant **ces** bons souvenirs qu'ils **ont** pu commencer **à se** pardonner.
11. Il cherche l'endroit **où** il peut placer **ces** (**ses**) tableaux qu'il vient de recevoir de sa tante.
12. **Sont**-ils à toi, **ces** petits crayons, **ou** est-ce que **ce sont** les miens?
13. Toutes **ces** phrases que nous avons lues, nous **ont**-elles aidés **à** démêler **ces** homophones **ou**, au contraire, nous **ont**-elles nui?
14. **Ce** que tu me dis, **c'est** bien vrai?
15. **Son** chat est malade depuis que **ses** chiens **sont** revenus, **c'est ce** que l'**on** m'a dit.
16. J'ai appris que tu viendrais et que l'**on** ferait la fête.
17. J'apprends **son** bonheur **à** l'instant même et je suis heureuse pour lui, car il l'**a** bien mérité.
18. Tu sauras **où** tu vas en suivant bien les indications.
19. Il avait **à** démêler **ces** homophones quand **ses** amis **sont** arrivés et il **a** décidé d'arrêter pour **se** reposer un peu.
20. **On** dirait que les gens **ont** honte de **se** trouver beaux et de s'aimer ; est-ce que **c'est** aussi ton cas?

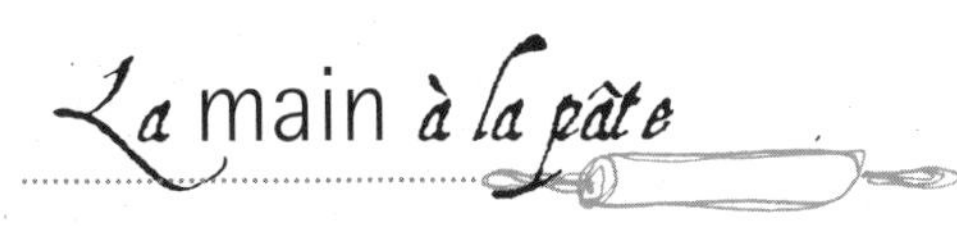

Atelier 5 - **Les finales de verbes, présent et impératif**
(corrigé des pages 42 et 43)

1. Tu les **aimes**, ils sont si beaux à regarder !
2. Tu **finis** tes devoirs et tu **joues** dehors.
3. Ils **préparent** les repas des fêtes et ils **veulent** avoir du plaisir.
4. Nous **rejoignons** les élèves et nous **fêtons** avec eux.
5. Ils **plaisent** à tous ceux qu'ils **voient**.
6. Ils **reviennent** dès qu'ils le **peuvent**.
7. Vous **mourez** de rire chaque fois que vous **écoutez** cette émission.
8. Tu **accueilles** cette nouvelle et tu te **surprends** à ne pas en être attristé.
9. Nous **adorons** ces repas que tu **mijotes**.
10. Ils **reviennent** dès qu'ils le **peuvent**.
11. Tu les **oublies** très peu souvent, ces règles que tu **apprends**.
12. Ils **bâtissent** la maison de leurs rêves.
13. Vous **revenez** de la réunion et vous **êtes** épuisés, mais vous **souriez** encore.
14. Tu **achètes** les fruits et les légumes.
15. Tu **veux** des nouvelles et tu **attends** avec impatience l'appel du médecin.
16. Nous **espérons** la fin du compte à rebours.
17. Les finalistes **rapportent** de beaux trophées.
18. Josée et Isabelle **parlent** de leurs plus chers rêves.
19. Benoît et Mathieu **finissent** leur travail.
20. Ils **veulent** des vacances bien méritées.
21. Tu ne l'**ennuies** pas, tu **poses** toujours de bonnes questions et tu le **sais**.
22. Les deux amis **aperçoivent** les policiers qui se **retirent** des lieux de l'accident.
23. **Aime** ce travail autant que tu le **peux**, mais n'**oublie** pas de penser un peu à toi et **fais** attention à ta santé.
24. Ces temps de verbes, ils les **apprécient**.
25. Tu le **vends** avec tristesse, cet article, mais tu **prends** la bonne décision.
26. **Revoyons** ensemble la règle de l'impératif présent et **retenons** que ce verbe n'a que trois personnes : tu, nous et vous.
27. **Écoute**-moi, j'ai quelque chose d'important à te dire, mais avant, **finis** tes devoirs.
28. Je **pars** dans quelques secondes, mais avant, j'**expédie** ce courriel.
29. Il **apprécie** ces heures de loisir et il te **convainc** de te reposer un peu.

La main à la pâte

Atelier 5 - **Les finales de verbes imparfait et passé simple**

(corrigé de la page 44)

1. Je ne **voulais** absolument pas le rencontrer avant ce jour-là.
2. Il **partit** sans demander son dû.
3. Il **vint** à ta rencontre et tu lui **parlas**.
4. Ils **marchèrent** sans se retourner et quand ils s'**arrêtèrent**, ils **virent** des scènes extrêmement émouvantes.
5. Nous **vînmes** à cette réunion sans nous soucier de rien.
6. Nous **arrivâmes** en retard et ils **reportèrent** la réunion.
7. Il nous **fallut** bien du courage lorsque nous **partîmes** de chez nous.
8. Ils se **retournèrent** tous les trois dès qu'ils **entendirent** ta voix.
9. Elle t'**aima** tout au long de sa vie et tu l'en **remercias** de tout cœur.

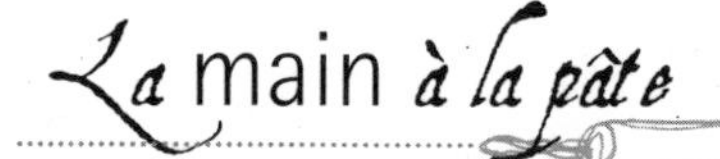

Atelier 6 - **Les participes passés avec être**

(corrigé de la page 50)

1. Grâce à leurs résultats scolaires, ces élèves épanoui**s** se faisaient davantage confiance.
2. Les pluies, le vent et la bourrasque étaient parvenu**s** à nous déloger et nous étions parti**s**.
3. Patricia et Véronique avaient été désigné**es** pour réaliser ce projet.
4. Les émissions télédiffusé**es** à l'heure du souper sont écouté**es** par un grand nombre de personnes intéressé**es**.
5. Les poules et leurs petits poussins sont déjà entré**s** au poulailler.
6. Les radis sont souvent récolté**s** dès le début de juillet.
7. Les outils oublié**s** sur les sols gelé**s** seront nettoyé**s** avant d'être utilisé**s**.
8. Les textes écrit**s** trop rapidement contiennent des erreurs.
9. Les moulins rouges sont situé**s** près de la rivière où mes sœurs sont né**es**.
10. Des régimes et des médicaments nous seront parfois imposé**s** si notre santé est devenu**e** précaire.
11. Toutes ces phrases, appris**es** par cœur, étaient souvent suivi**es** de petits textes non mémorisé**s**.
12. Les poupées des enfants, posé**es** près de leur lit, semblaient venu**es** leur dire bonne nuit.

Atelier 7 - **Les participes passés avec avoir**

(corrigé des pages 55 et 56)

1. Toutes ces choses que vous nous avez donné**es** nous ont permi**s** de résister aux grands froids.
2. Tu les fais souvent, les recettes que tu as appris**es**.
3. Cette promenade dans les bois, Michaël l'avait toujours espéré**e**, il l'a donc vécu**e** avec joie.
4. « Les propos que tu as tenu**s** m'ont aidé**e** à remonter la pente », racontait Vicky.
5. Sébastien les a entendu**es** et réentendu**es**, ces histoires à dormir debout, et il ne les a jamais oublié**es**.
6. Lynda m'a **dit** : « Est-il vrai qu'ils m'ont rencontré**e** hier, sur la voie publique ? Moi, je ne les ai pas aperçu**s**. »
7. Voici les objets que vous aviez perdu**s** lors de cette sortie imprévue.
8. Nous ne vous les avons pas donné**s**, ces cadeaux, car vous les aviez sans doute déjà acheté**s**.
9. Les tables et les chaises, ils les ont enlevé**es** rapidement et tu les as remercié**s** très chaleureusement.
10. Ces boutiques, on les a fermé**es** il y a dix jours.
11. Je l'ai adoré**e** ma voisine, car elle m'a très souvent rend**u** service.
12. Le vent tapageur a hurl**é** des noms fous, aux sonorités lugubres, et moi, je n'ai pas dorm**i**.
13. Les chatons sauvages qu'il a trouvé**s** dans le foin séché, il les a apprivoisé**s**.
14. Je les leur avais rapporté**es**, ces fleurs cueilli**es** la veille.
15. Ils ont march**é** dans le froid et dans le vent glacial, et ce, pendant des heures, sans avoir une seule fois perd**u** courage.
16. « Ils nous ont enfin embauché**s** », disaient Josée et Alexandre, tout heureux d'avoir obten**u** ce poste.
17. Les mensonges ont toujours suscit**é** la méfiance.
18. Tu ne l'as pas provoqu**ée** et pourtant, elle est en colère.
19. Je les ai bien appris**es**, les chansons de mon père.

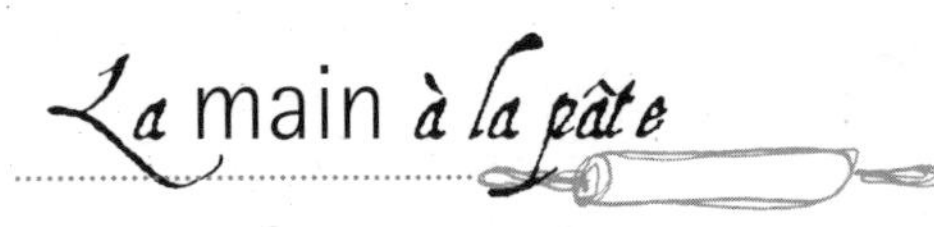

Atelier 8 - **Les verbes pronominaux**
(corrigé de la page 61)

1. Ils se seraient brossé les dents avant le déjeuner, mais leurs cheveux, ils les auraient brossés avant le dîner.
2. Elle s'était coupé deux doigts en réparant ce tabouret.
3. Elle s'était coupée aux doigts, en réparant ce tabouret.
4. Les enfants se sont tus à l'arrivée des invités, mais ils se sont vite sentis à l'aise et se sont bien amusés.
5. Ils se sont rendu compte de leur erreur.
6. Touchés par la guerre, les gens s'étaient souvenus avec tristesse des amis qu'ils avaient dû quitter.
7. Ils s'étaient évanouis de douleur au moment de l'accident.
8. Les nouveaux mariés s'étaient embrassés, heureux, devant tous leurs invités ; ils se sont ensuite enfuis en voyage de noces.
9. Elle s'était enfuie très vite de son domicile en flammes.
10. Les ours s'étaient privés de nourriture tout l'hiver.
11. Certains pays en guerre s'étaient enfin rapprochés d'un accord, mais ils ne s'étaient pas encore entendus sur tout.
12. Ces objets de valeur s'étaient vendus rapidement.
13. Nous nous serions tous laissés avec le sourire.
14. Ils se sont plu dès le premier regard et se sont épousés.

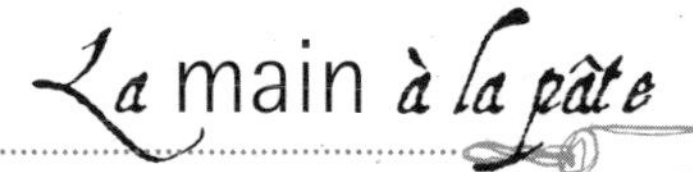

Atelier 9 - **Les participes passés : saveurs étranges**
(corrigé des pages 69 et 70)

1. La peine qu'il a ressentie était plus importante que je ne l'avais imaginé.
2. Vous trouverez les copies ci-jointes dans les feuillets ci-annexés.
3. De tes problèmes et des réalités que tu vivais, personne ne m'en a parlé.
4. Ces joies, il aurait fallu qu'il les vive plus tôt.
5. Tu m'as raconté tous ces événements dont tu avais pu te souvenir.
6. Les 20 dollars que ces bricoles m'ont coûté me semblent, à présent, du vol.
7. Passé ces jours sombres, tu t'étais sentie de nouveau en santé, Martine.
8. Les trois jours pendant lesquels ils ont dormi les ont beaucoup reposés.
9. Les jours attendus dans la fébrilité rapportent de la joie, celle que nous avions espérée, en fait.
10. Vous trouverez, ci-inclus, les photos de mes deux filles et celle de mon époux.

11. Garde les dix dollars que ces objets t'ont coût**é**.
12. Les garçons étaient tenu**s** à l'écart, les filles y compris**es**.
13. Cet ensemble vaut 270 dollars, taxes non compris**es**.
14. Les heures que tu as perdu**es**, tu ne les retrouveras pas.
15. Toutes sont venu**es**, mes filles excepté**es**.
16. Étant donn**é** les erreurs passé**es**, nous vous comprenons mieux.
17. Les circonstances de cet événement étant donné**es**, vous comprendrez mieux ce qui s'est pass**é**.
18. Les millions qu'il avait gagn**és** à la loterie, en deux ans, il en avait perd**u** autant.
19. Je me rappelle avec émotion les 15 années pendant lesquelles j'ai véc**u** en Abitibi.
20. Ces trois erreurs mis**es** à part, vous les avez très bien compos**ées** ces quelque quarante lignes.
21. Les enfants indociles les avaient commis**es** ces erreurs ; leurs parents les en avaient blâm**és**.
22. Cette nuit, il est tomb**é** beaucoup de pluie.

Atelier 10 - **Révision globale : À table !**
(corrigé des pages 72 à 74)

1. La sympathie qu'ils se sont témoigné**e** est réel**le**.
2. Les futur**es** joueuse**s** étai**ent** arrivé**es** tôt le matin, car elles s'étai**ent** promi**s** de se préparer.
3. Les boulevard**s** sont envahi**s** par des gens venu**s** de partout dans la vallée.
4. La bourrasque est venu**e** nous dérange**r** et elle a emport**é** tous les drap**s** étendu**s** sur les corde**s** **à** linge.
5. Elle s'est gelé**e** en sortant sans chapeau.
6. **À** dix-huit heure**s**, j'avais le cœur rempl**i** d'émotio**n**, car les tracas et la fatigue accumulé**s** avai**ent** eu raison de moi.
7. Tu t'es rappel**é** cette voix solennelle que tu avais entendu**e** **à** mainte**s** reprise**s**.
8. Ils se serai**ent** volontiers retiré**s** de **ce** match s'ils avai**ent** p**u**.
9. Gisèle et Denise, lors de vos vacances d'été, vous vous êtes arrondi**es**, mes chère**s** petite**s** ami**es**, et cela vous va très bien.
10. Les pluie**s** diluvienne**s** se sont abattu**es** sur la ville endormi**e** et cela **a** dur**é** deux jour**s** entier**s**.
11. Vous tous qui m'entend**ez** : place**z** les châles dans les malle**s** bleu**es** et rapporte**z**-les au public immédiatement.

12. La foi n'est plus **ce** qu'elle étai**t**, car les citoyen**s** ordinaire**s** ne croi**ent** plus de la même manière.
13. Nous les avons reçu**es**, les plinthes de chauffage neuve**s** commandé**es** au magasin du coin.
14. Tu appelles les mécanicien**s** dès que tu les auras imprimé**es**, tes longue**s** feuill**es** de route.
15. Ils se sont plaint**s** devant les haricots, les poireaux et les échalotes retrouvé**s** au fond de leur assiette vert**e**.
16. Il faut que j'enlève les sangsue**s** qui **se** sont collé**es** **à** sa jambe, et j'avoue que cela me donne mal au cœur.
17. Les aurais-tu admiré**es**, **ces** jeune**s** pousse**s** verte**s** née**s** avec le printemps ?
18. Les as-tu développé**es**, **ces** technique**s** nouvelle**s** apprise**s** lors des cours de menuiserie donné**s** par ce professeur ?
19. Les œuf**s** cuit**s** **ou** poché**s** sont bon**s** pour la santé, mais il ne faut pas en abuse**r**.
20. Les participants se serai**ent** retiré**s** si **on** leur avai**t** donn**é** la permission de quitte**r** **ces** lieu**x** sombre**s**.
21. Si nous vous avions parl**é**, vous aurie**z** sans dout**e** compris.
22. Les martyr**s** canadiens nous ont été présenté**s** dans les livre**s** de la troisièm**e** ann**ée**.
23. Les erreur**s** diagnost**iques** sont monnaie courante chez les nouveau**x** médecin**s** trop occupé**s**.
24. Les diagnost**ics** vous seron**t** remis dès huit heure**s**.
25. J'aime les amande**s**, rôti**es** ou salé**es**, mais je n'aime pas les amende**s** des policier**s** zélé**s**.

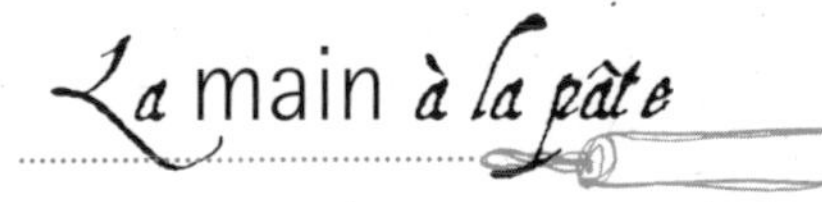

Atelier 11 - **Leur**
(corrigé des pages 78 et 79)

1. Ils leu**r** parlent toujours trop longtemps, elles n'écoutent plus leur**s** propos au bout de dix minutes.
2. Ils avaient perdu leu**r** premièr**e** bataill**e** et leu**r** découragemen**t** se lisait dans leur**s** yeux bleu**s**.
3. Ces deux écrivains dont vous parlez, avez-vous lu leu**r** dernie**r** livr**e** ?
4. Elles leu**r** ont parlé de leu**r** naissanc**e** difficil**e**, de leur vi**e** plus simpl**e** et de leur**s** beau**x** jour**s** de vieillesse.
5. Cette histoire si tendre, nous la leu**r** avions racontée plus d'une fois et chaque fois leu**r** sourir**e** épanou**i** nous montrait leu**r** bonheu**r** de la réentendre.
6. En me parlant de ses enfants, grand-mère me racontait que leu**r** maiso**n** était si petite qu'elle n'arrivait pas à leu**r** donner leu**r** petit li**t** douille**t**.
7. Ils avaient mis tous leur**s** espoir**s** dans ce projet, ce qui leu**r** fut bénéfique.
8. Ce sont leur**s** souvenir**s** qu'ils ont laissés dans ce pays.

9. Ce n'est absolument pas leu**r** faut**e** s'ils sont arrivés en retard ; leu**r** autobus s'est enlisé dans de la boue, près de leu**r** lie**u** de travail.
10. Leu**r** dicté**e** de fin de session était leu**r** plus gran**d** cauchemar, ils passaient leur**s** nuit**s** à en rêver.
11. Si vous leu**r** expliquez bien la règle des « leur », ils montreront leu**r** grand**e** joi**e** à écrire des phrases sans fautes.
12. Les enfants viennent de rentrer et, à les voir, c'est sûr qu'ils ont joué : leur**s** main**s** sont sale**s**, leu**r** peti**t** cou est noirc**i** de terre et leur**s** pied**s** sont tout aussi noir**s** de boue.
13. Leu**r** expressio**n** blafard**e** exprimait leu**r** déceptio**n** profonde et surtout leu**r** grand**e** pein**e**.
14. Elles leu**r** ont rappelé ces célèbres phrases du poète.
15. Ils nous ont raconté leur**s** joie**s**, nous leu**r** avons raconté les nôtres ; ils nous ont tous confirmé leu**r** appréciatio**n** de ces travaux que nous leu**r** avions donnés.

Atelier 11 - **De drôles de pluriels : De**
(corrigé des pages 81 et 82)

1. J'ai mis de beau**x** vêtement**s** neuf**s** à l'occasion du mariage de ma sœur.
2. Elle a parlé de chose**s** extrêmement sérieuse**s** lors de cette réunion de professeur**s** et d'élève**s**.
3. Le livre du record de naissance**s** est maintenant publié, mais ce n'est pas le Québec qui l'emporte !
4. De large**s** trait**s** coloré**s**, tracé**s** sur son thorax, montraient à quel point il aimait certaines sortes de tatouage**s**.
5. Il ne faut pas commettre de bévue**s** lors d'entretien**s** avec ce drôle de personnag**e**.
6. Des ventes de meuble**s** ancien**s**, de coutelleri**e** fin**e** et de morceau**x** de toute**s** sorte**s** nous ont permis de beau**x** achat**s** à prix vraiment réduit.
7. De drôle**s** d'aventure**s** nous étaient arrivées lors de cette promenade avec de jeune**s** enfant**s**.
8. Il faut, chaque jour, beaucoup de patienc**e** pour aimer.
9. De large**s** sourire**s** se dessinaient sur de pauvre**s** petit**s** visage**s** dès que l'on apportait de la nourriture.
10. Ce sont toujours de beau**x** et de riche**s** moment**s**, nos rencontres quotidiennes.

La main à la pâte

Atelier 11 - **De drôles de pluriels : Sans**
(corrigé de la page 83)

1. Il vous faut faire cette dictée sans faute**s**.
2. La vie paraît plus belle sous un ciel sans nuage**s** noir**s**.
3. Dehors, au grand vent, il était toujours sans foular**d**.
4. Il était sans gant**s**, sans chapea**u**, sans mantea**u**.
5. C'était une personne sans gentiless**e**, sans amabilit**é** et sans ami**s** véritable**s**.
6. Ce n'est pas sans gên**e** qu'il s'est présenté à son rendez-vous avec plus de quarante minutes de retard.
7. Tu peux réparer l'établi sans outil**s** neuf**s** ?
8. On nous a toujours dit que la vie sans erreur**s** était impossible, car nous ne sommes pas sans imperfection**s**.
9. Ils sont partis sans automobil**e**, ils attendaient l'autobus.
10. C'est sans pleur**s** qu'ils ont quitté ce pays sans aveni**r**.
11. Sans joi**e**, on ne peut vivre, sans amou**r** non plus.
12. C'est sans impatienc**e** que j'ai attendu mon tour.
13. Sans neig**e** et sans ven**t**, l'hiver serait plus facile.

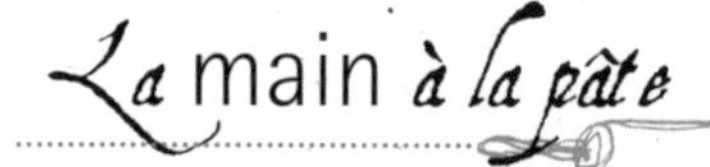

Atelier 12 - **Au menu : les quelque et les tout-tous**
(corrigé des pages 92 à 94)

1. Tou**te** la journée, elle se plaignait de maux de dos insupportables, quel**les** que soient les positions qu'elle adoptait.
2. Tou**s** ceux que tu as rencontrés étaient de ton avis : tou**s** ces votes étaient truqués.
3. Tou**s** vos rêves seront réalisés, si vous y croyez.
4. Les quelque**s** enfant**s** que tu as connus ont tou**s** un petit air triste, quel**s** que soient les jours.
5. Tu reviens dans une semaine, et j'ai encore quelque**s** jour**s** à t'attendre.
6. J'ai rangé tou**s** tes habits et quelque**s** objet**s**.
7. La vie est tout**e** belle, quel**les** que soient nos épreuves, et il faut l'apprécier tou**s** les jours, au moins quelque**s** instant**s**.
8. Cela me fait quelqu**e** plaisir que tu viennes et que tu apportes tou**tes** les gâteries de la soirée.
9. Tout**es** ces phrases, vous pouvez les écrire, maintenant.
10. Précédés d'un déterminant, les tout**s** sont des noms.
11. Le courrier arrive tou**s** les jours à la même heure, quel**le** que soit la température.

12. « Tou**t** étonnés de nos cœurs », chantait Frida Boccara de sa voix tout**e** grave, mais tout**es** ces vieilles chansons vous ne les connaissez pas, sauf peut-être, parfois, quelque**s** refrain**s**.

13. Quelque**s** jour**s**, c'est bien long lorsqu'on s'ennuie.

14. Quelque**s**-uns sont tou**t** prêts à donner leur vie et quelque**s** autre**s** à la prendre.

15. Tou**s** ces cours de judo que vous avez suivis vous ont coûté quelqu**e** deux-cents dollars, mais vous vous en êtes sorties tou**t** heureuses, chères dames !

16. « Je t'aimerai tout**e** ma vie », c'est toujours tou**t** ce que l'on peut dire, lors de quelque**s** moment**s** d'extase ; hélas ! ces moments ne durent que quelqu**e** deux à trois mois !

17. Tou**s** ces hommes étaient entraînés à tout**es** sorte**s** de combats, quelque**s** femme**s** l'étaient également et elles n'étaient pas, contrairement à ce que vous pourriez croire, tout**es** soumise**s**.

18. Quelque**s** problèmes m'ont retenu chez moi.

19. Une période tout**e** difficile nous oblige à délaisser quelque**s** projet**s** auxquels nous avions pourtant cru et pour lesquels nous aurions fait tou**s** les sacrifices nécessaires.

20. Tout**e** bonn**e** chos**e** a une fin, dit souvent mon père ; il ajoute toujours, quel**s** que soient les moments, qu'il est tou**t** près de finir, lui aussi.

21. J'ai pleuré à quelque**s** reprise**s** en écoutant les nouvelles ; elles sont souvent tou**tes** mauvais**es** et nous rendent l'âme tou**t** anxieuse.

22. Nous nous étions revus avec, au cœur, l'espoir de retrouver tou**tes** ces belles années et quelque**s** vieux et tendres souvenirs.

23. Démêlez-vous quelque**s** « quelque » ? Ou, au contraire, sont-ils tou**t** confus à votre esprit ?

24. Tou**s** les noms précédés du déterminant « tout » s'accordent avec celui-ci, mais il n'en va pas de même devant les adjectifs : tou**t** beaux, ils restent presque toujours tou**s** invariables.

25. Tout**es** ces paroles et tou**s** ces mots, quelque**s** erreurs et quelque**s** succès, tou**t** cela vaut bien quelque**s** heures de repos, quel**les** qu'en soient les conséquences.

26. Je n'avais jamais compris que tou**s** les tout**s** que j'accordais étaient aussi simples, en fait, que quelque**s** autre**s** règles que j'ai apprises depuis.

Atelier 13 - **L'épicerie, vocabulaire**
(corrigé de la page 98)

Ce jour-là, je me promenais dans l'**allée** quand soudain une **voix** bizarre, venue de je ne sais où, attira mon attention. Je l'entendais crier avec émotion et **cœur**: «Viendras-tu m'aider à résoudre ce **dilemme**?»

Ne sachant trop que faire, je me mis pourtant à la **tâche** et, après deux **heures** de **vains** efforts, je me résignai à abandonner.

Quelques jours plus tard, tout près de l'**entrée**, je réentendis, pour la deuxième **fois**, cette drôle de **plainte**. Je ne me sentais pas en **sûreté**, l'**anxiété** me tenaillait et j'avoue, en **vérité**, que j'aurais préféré pouvoir me **terrer** dans un coin sombre, plutôt que de subir ce **martyre** : ne pas savoir d'où viennent la douleur, le **mal**, quelle cruauté dans le **cours** de la vie !

Je repris donc mon courage à deux **mains**, afin de régler ce **différend** entre moi et moi-même, différend qui, à présent, m'habitait tout entière : devais-je ou non venir en aide à cette voix qui m'appelait?

Je cherchai donc partout : dans la **montée**, dans la **vallée**, mais toujours avec **rapidité**, car j'entendais marteler mon cœur dans ma poitrine, terrible **diagnostic** de terreur, que ce cœur à l'épouvante !

Tout à coup, je vis une **boîte** de carton, banale comme toutes les boîtes du monde. De là semblait venir la **plainte**. Je m'en approchai : je m'**aperçus** qu'elle bougeait à peine, comme si un souffle l'habitait. De mes **doigts** agités, tremblants, je l'ouvris. Il **n'y** avait **ni** monstres **ni** âmes perdues qui s'y cachaient.

Pourtant, quelque chose me surprit : au fond de cette banale boîte, une photographie de moi, enfant. Photographie cachée dans son **repaire**, et qui semblait me dire : «Dis, qu'as-tu fait de ta jeunesse ?»

Je repensai alors aux poèmes diffus et oubliés de mon enfance et m'enfuis, tenant solidement sur mon **cœur** cette **beauté** redonnée, pansement sur la plaie vive du vivre. Cette **voix** entendue me rappelait à ma mémoire : moi, au temps doux de l'innocence, de l'insouciance et de la **pureté**.

Atelier 14 - **Quand, quant, plus tôt, plutôt, quelques fois, quelquefois, etc.**
(corrigé de la page 103)

1. Quan**d** j'aurai terminé, j'aurai **davantage** de plaisir à me reposer.
2. Il ne m'a rien confié, mais **quelquefois** j'ai l'impression qu'il en sait **davantage** que ce qu'il veut bien nous dire.
3. Il arrive **plutôt** en avance, mais nous sommes heureux, car nous partirons **plus tôt** que prévu.

4. Il s'agit d'arriver **plus tôt** que plus tard.
5. « Quan**d** il me prend dans ses bras », chantait Édith Piaf...
   J'ai écouté cette chanson **quelques fois**, la semaine dernière, **davantage** pour moi que pour les autres.
6. « Quan**d** nous chanterons le temps des cerises », dit cette autre chanson qui me plaît **davantage**.
7. Certains aiment la musique, d'autres choisissent **plutôt** le sport ; quan**t** à lui, il adore les deux.
8. Il venait chez sa mère **quelques fois** par semaine ; **quelquefois** c'était pour lui faire une surprise.
9. Il est des jours où quan**d** le jour se lève on voudrait **plutôt** rester au lit, car **quelquefois** nous ne nous sommes pas assez reposés.
10. Nous partirons pour ce pays dont tu rêves **quelquefois**.

Atelier 15 - **Participes présents et adjectifs participes**
(corrigé de la page 108)

1. Quand je les trouve fatig**ants**, c'est que, souvent, je le suis moi-même.
2. J'ai toujours trouvé ces endroits un peu épuis**ants** ; c'est pourquoi je ne les fréquente plus.
3. Tu m'as fourni des preuves convainc**antes** et, à présent, je te crois.
4. Ce n'est pas en vous fatig**uant** ainsi que vous aurez des résultats convainc**ants**.
5. Elle est exigean**te** envers les siens, mais elle l'est aussi à son égard.
6. Mes idées et les tiennes sont tout à fait différ**entes**.
7. En **provoquant** la foule, vous vous attirez des remontrances.

Atelier 16 - **Révision globale : À table !**
(corrigé des pages 110 à 112)

1. Vous nourrisse**z** de beau**x** projet**s**, mais votre carrière est déjà commencé**e**, et selon vos employeur**s**, elle est parfait**e**.
2. Ces magnifiqu**es** revu**es** ser**ont** imprimé**es** par vos bon**s** soin**s**.
3. La fraîcheur des aliment**s** congelé**s** nous incit**e** **à** les consomme**r** **davantage**.
4. Deux femme**s** en colère s'opposai**ent** au vote des citoyen**s** ahuri**s**.
5. Ils se serai**ent** plaint**s** de leu**r** professeu**r** de français et de mathématiques, et ce, sans raison**s** valable**s**.
6. Tu prétend**s** que le différen**d** se régler**a** sans difficult**é**.
7. On a **davantage** faim à l'arrivé**e** de l'hiver et il faut alors consomme**r** plus de calorie**s**.
8. Le déjeuner, le dîner et le souper faisai**ent** partie des mœurs québécoise**s**.
9. Les histoire**s** atroce**s** de leu**r** pèr**e**, ils nous les racontai**ent** dès qu'ils en avai**ent** la chance.

10. Deux gendarme**s** se parlai**ent**, **plus tôt ce** matin, du dévouement exemplaire de leur**s** collègue**s**.
11. **Ces** draps et **ces** mouchoir**s** sali**s** se trouvai**ent** parmi les chose**s** laissé**es** en désordre au moment du départ.
12. Le mât de **ce** navire est fatig**ant** à regarder, il menace de tombe**r**.
13. Josiane **s'est** félicité**e** de ne pas avoir cru **ces** bêtises que lui racontai**t** son ami.
14. Toute**s** leur**s** manœuvre**s** étaient vaine**s** et ils pleuraient de désespoi**r**.
15. Quan**d** o**n** arrivera **à** destination, vous nous préviendre**z**.
16. En te **fatiguant** de la sorte, ne va pas croire que tu t'aide**s à** remonte**r** la pente.
17. Les vieillard**s** qui boit**ent** le long des trottoir**s** enneigé**s** me rappell**ent à** ma vieillesse prochain**e**.
18. **Où** vas-tu ? **À** cette école **ou** chez toi ?
19. Vous nous raconterez vos sortie**s** endiablé**es** dès que vous le pourre**z**.
20. Ces route**s**, le verglas les avai**t** rendu**es** glissante**s**.
21. Tou**s** vos souci**s**, tou**s** vos malheur**s** et tout**es** vos joie**s** me touch**ent** également.
22. Ils ont beaucoup de mal **à** mang**er** depuis qu'**on** leu**r a** donn**é** des légumes brûlant**s**.
23. **Ces** enfants, qu'il voi**t** tou**s** les jour**s** dans la cou**r** de l'école, il les aim**e**, ce professeur.
24. Je vous parler**ai plus tôt** que prévu, ne vous inquiéte**z** pas et demeure**z** calme**s**.
25. Il les **a** reçu**es**, **ces** petite**s** fleur**s** bleu**es** que l'**on** voulait lui donne**r**.
26. Les **malles** et les bagage**s** sont posé**s** tou**t** près des deux escalier**s** brun**s**.
27. La carrière du déput**é** est interrompu**e** par de grave**s** problème**s** de sant**é**.
28. **Ce** n'est pas facile d'enlever cet**te** t**a**che de goudron qui se trouve sur le matelas.

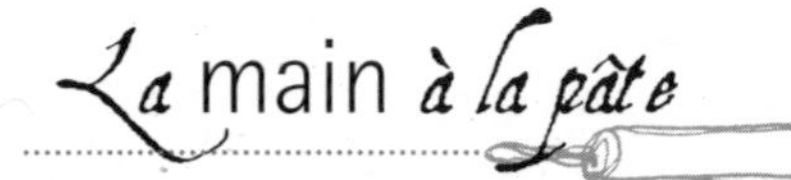

Atelier 17 - **La phrase intelligible : la ponctuation**
(corrigé de la page 117)

1. Les hommes**,** les crapauds**,** les grenouilles et les fleurs**,** bref**,** tout cela fait partie de la vie.
2. Cette montagne de neige qui se voulait plaisante**,** qui se voulait drôle**,** qui se voulait fête pour les enfants**,** commence à fondre**,** c'est le printemps.
3. Liette**,** mon amie de toujours**,** est partie en Afrique hier.
4. Cette phrase**,** qu'il n'avait pas encore lue**,** était si belle !
5. Virgule**,** mon chat**,** aime les sardines fraîches.
6. Je les aime**,** mais je ne le dis pas assez souvent.

7. Tous les jours de la semaine, je m'entraîne, donc je suis en forme.
8. Dis-moi, Mathieu, pourquoi es-tu si triste aujourd'hui ?
9. J'ai cueilli les fraises, les framboises, les échalotes et les radis de mon jardin.
10. Mon père, qui croyait dur comme fer à la bonté, n'en a jamais manqué envers les autres.
11. C'est mon fils, Romuald, qui a gagné la médaille d'or.
12. « Je viens, dit-il, d'apercevoir quelque chose. »
13. Ni toi ni moi ne voulons de ce débat, car il semble trop malhonnête.
14. N'allez pas croire, chers amis, que je veux vous ennuyer, car j'essaie au contraire de vous détendre.
15. Les virgules, ces signes de ponctuation, je les connais.

Atelier 17 - **La ponctuation**
(corrigé de la page 121)

1. Il m'avait apporté tant de choses : des tomates, des laitues et des concombres.
2. Il est revenu du CLSC épuisé.
3. Va-t-il venir à la grande fête que tu organises ?
4. Ah ! je l'aime tellement !
5. Ma sœur, Catherine, s'indigne devant l'horreur qu'il y a dans le monde.
6. « Une hirondelle ne fait pas le printemps », selon l'adage.
7. Il m'a dit : « Aie confiance en l'avenir », puis il est reparti.
8. Si jeunesse savait, si vieillesse pouvait.

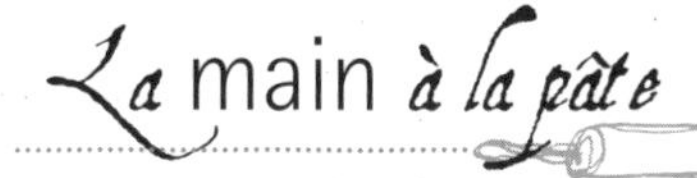

Atelier 17 - **Lettre à mes élèves**
(corrigé de la page 122)

Je me suis levée de bonne heure ce matin. J'avais envie de vous écrire et de vous parler de mon métier auprès de vous, mais surtout de vous avec moi. C'est fou tout le bien que vous me faites ! Je m'en étonne chaque jour. Une amie me disait : « Il ne faut rien attendre des autres », mais à vous côtoyer j'ai compris qu'elle a tort, car elle ne comprenait pas que les autres, c'est aussi un peu de soi.

Nous, élèves, professeurs et directeurs, travaillons ensemble. Nous avons du plaisir et nous connaissons parfois des défaites, tout en sachant nous relever après la chute. L'adage disait : « Tomber est si facile, mais se relever est si digne. » Moi je le crois aujourd'hui. Le croyez-vous ? Croyez-vous à l'amour des mots, des êtres et des choses ?

Pour ma part, ni les honneurs ni les reconnaissances ne valent votre sourire, vos yeux éveillés de curiosité et votre constante belle humeur. Je ne savais pas que je serais un jour si heureuse de montrer ce que je sais, certes, mais surtout d'apprendre ce que vous savez. Je me demandais... ah ! et puis laissez faire ! Je voulais simplement vous dire merci !

Atelier 18 - **Les propositions du chef**

(corrigé de la page 130)

P. S.R.
1. J'ai mangé les fruits / que j'avais cueillis hier.

P. S.R. P.
2. Les jouets / qui se trouvent près de la porte, / ramasse-les.

P. S.R. P.
3. La fille / dont nous parlions / viendra nous voir.

I. I.J. I.J.
4. Il a marché, / il a couru, / il est épuisé.

I. I.C.
5. Les bonheurs sont faits de petits riens, / mais on s'en réjouit !

I. I.C.
6. Il est parti, / car il avait une réunion.

I. I.C.
7. Je ne sais pas grand-chose de la vie ; / or, cela me sécurise !

S.C. P.
8. Dès que la cloche a sonné, / les enfants se sont retirés.

I. I.C.
9. Il m'a dit d'avoir confiance en l'avenir, / puis il est reparti.

P. S.R.
10. Jeudi, j'ai reçu les fleurs / que j'avais réservées.

I. I.C.
11. Le vent souffle / et je l'entends comme une douce musique.

P. S.C.
12. La vie me semble si belle / quand je lis au soleil !

Atelier 21 - **La syntaxe**

(corrigé de la page 139)

Texte 1

L'école était pour moi un lieu de ressourcement, de bonheur et de joie. J'y avais des amis et j'appréciais plusieurs professeurs. Dans la cour, pendant la récréation, on s'amusait à se lancer des balles de neige. Certains élèves avaient peur et se cachaient. Plus tard, je changeai d'école et perdis mes amis. C'est avec nostalgie que je pense à tous ces beaux moments.

Texte 2

Une étude récente, réalisée en Angleterre, nous apprend que la mixité favorise le bonheur des élèves, que ce soit au plan social, amoureux ou scolaire.

Atelier 21 - **Syntaxe boiteuse**
(corrigé de la page 140)

1. Je sais ce dont je parle.
2. Nos lettres et nos travaux non terminés se trouvent sur la table.
3. Tu as mouché ton bébé.
4. On n'a pas répondu au téléphone.
5. Tu pleures souvent quand tu pèles les oignons.
6. Nous étions sur le trottoir quand il m'a embrassée.
7. Ma mère, récemment revenue de Chine, m'a rapporté un chandail.
8. Les gens trouvent l'assemblée longue.
9. Les somnifères que j'ai pris m'ont littéralement assommé.
10. Voici, sur la table, la pomme trop mûre de mon fils.
11. La garagiste t'a accueilli.
12. Paul expédie le courrier par télécopieur.
13. Je m'intéresse à la réussite de ce projet.

Défi : et pour vous, qu'est-ce que c'est qu'*Être* ?

Être, c'est...

Être, c'est... consacrer passionnément la majeure partie de sa vie à la créer. **Être**, c'est... vibrer juste à l'idée d'oser questionner, toucher, explorer et évoluer. **Être**, c'est... côtoyer ses limites pour les inspecter, les suspecter et les repousser. **Être**, c'est... regrouper ses forces autour de ses faiblesses pour les persuader de s'allier. **Être**, c'est... utiliser son talent à bon escient, sans en être imbu ni en faire abus. **Être**, c'est... s'inspirer du passé pour composer le quotidien, jusqu'à ce que l'avenir soit souvenir. **Être**, c'est... réaliser que rien ne stagne, que tout ce qui n'avance pas recule. **Être**, c'est... travailler sur soi à temps plein, sans jamais trop se prendre au sérieux. **Être**, c'est... oublier les heures de labeur pour savourer un instant de bonheur. **Être**, c'est... croire que le pire est passé et le meilleur à venir.

Francis Pelletier

Extrait des affichettes *Être, c'est...* (Les Pelleteurs de nuages)

Nouveaux exercices

02

Les travaux forcés

La vie l'a rapidement pris en charge : sept mois et deux semaines au trou noir,
malheureusement libéré avant terme, a échappé de justesse aux fers (forceps),
est emmailloté dans un lange de force, déposé sous une cage de verre surchauffée,
attaché dans une chaise trop haute, forcé à manger n'importe quoi, couché dans un lit à barreaux,
« entétiné » pour avoir trop parlé, puni pour avoir outrepassé les limites de sa liberté provisoire,
envoyé à l'école de réforme, réinséré socialement, chargé des travaux communautaires,
dirigé par un bourreau de travail (pas le sien...), abusé sexuellement à maintes reprises, marié,
libéré sous conditions (divorcé), tombe malade, perd la mémoire, encore forcé à manger
n'importe quoi (mais de toute façon ne se souvient plus), maîtrisé par contentions,
gardé sous surveillance étroite, cloué à un lit à barreaux, retour au trou noir.

Au fond, c'est ridicule de se prononcer pour ou contre la peine capitale.
Avons-nous seulement le choix ?

1- Peine de mort !   2- Peine de vie !

Cocher l'une ou l'autre, c'est quand même se bercer d'illusions pour échapper à une réalité cruelle.
Peine perdue. L'espoir insensé d'une évasion impossible. Purger dix, trente ou soixante ans...
nous sommes tous condamnés à mort, pour être nés.

Francis Pelletier

Extrait du livre de Francis Pelletier : *Rien*
Pose & Prose aussi disponible en affiche littéraire (Les Pelleteurs de nuages)

02- Exercices des Mordus...

Pour cuisiner en expert...

Dans cette section, vous aurez à travailler les notions acquises dans **Les fameuses recettes de grammaire**. Les titres et leur clin d'oeil culinaire vous renverront au type de difficultés. Ainsi, sous **Cuistot**, le nombre d'erreurs est signalé dans chaque phrase. Sous **Chef**, le nombre d'erreurs n'est pas signalé, à vous de le découvrir. Sous **Cordon-bleu**, non seulement les erreurs ne sont pas signalées, mais plus encore, il s'agit d'un texte suivi, dans lequel toutes sortes d'erreurs restent à découvrir.

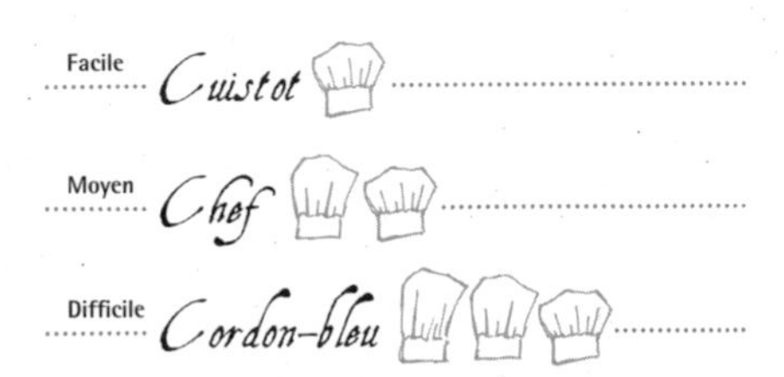

Vous saurez toujours à quelles étapes de la grammaire vous référer pour compléter ces exercices ainsi que les pages où trouver le corrigé.

Utilisez un crayon à mine fine pour faire vos corrections ou mieux, réécrivez les phrases corrigées sur une feuille ou dans un cahier. À vous le tablier !

Atelier 1 - **Les natures et les fonctions**

Trouvez d'abord la **nature** des mots des phrases suivantes et, dans une seconde étape, **trouvez** la **fonction** des groupes de mots des mêmes phrases. **Inscrivez** la **nature** en dessous du **mot** et les **fonctions** au-dessus.

1. La vallée verte et le ciel bleu font plaisent aux touristes.
2. Tu peux les recevoir, ces invités admirables.
3. Ils arriveront dès huit heures.
4. Il termine sa session, il est très heureux.
5. Nathalie a toujours obtenu d'excellents résultats scolaires

   sans avoir véritablement étudié.
6. Benoît, grand et docile, est un enfant qui adore la

   musique ; il joue souvent du piano le soir, très tard.

7. Les artistes invités chantaient des chansons espagnoles et québécoises devant les personnes venues les entendre.

8. Tu mangeais des pommes sucrées dans le salon, vers dix-huit heures.

9. Les filles que tu as vues sont belles : elles ont des robes rouges, des souliers noirs et des manteaux bruns.

10. Il parlait à sa soeur aînée des problèmes incalculables qu'il devait affronter.

11. J'arrive de chez mon frère, il m'a longuement parlé de toi.

(corrigé à la page 58)

Moyen *Chef*

Atelier 4 - **Corrigez les verbes homophones : er, é**

1. Tu dois les aime ces petits êtres que la vie veut te confie.

2. Tu as adore mange ce plat que tu avais prépare.

3. Il faut se repose quand on veut bien travaille, me disait mon grand-père tant aime.

4. Je te demande ce que tu veux porte pour alle à ce bal costume.

5. Il nous faut oublie les erreurs passées et continue notre route, malgré les événements qui nous ont troublés.

6. Paul aurait voulu admire ces photographies rapportées de voyages lointains.

7. J'ai à décore cette chambre, à la renouvele pour y couche mon petit-fils, né hier.

(corrigé à la page 59)

Moyen Chef

Atelier 13 - **Corrigez le vocabulaire : mots en é, ée ;**
Ateliers 2 à 4 - **Accordez les verbe-sujet, nom-adjectif et verbes homophones**

1. Ils font des alle et venu multiple, sans se repose.
2. Simon et Sonia, vous seriez aimable de me donne ce livre et ces cartable bleu.
3. L'arrive du facteur avec ses pantalon noir et son blouson bleu faisai peur aux chien attaché dans la cour des voisins.
4. Une arme de bestiole se trouve dans la cuisine fraîchement repeinte ; elles tacheront les murs, si nous ne faisons rien.
5. Le petit chien et la vieille chatte étai les meilleur ami du monde.
6. L'intimite, les idées et la volonte permet la réussite de projet exceptionnel.
7. Les soirées de pluie, je les passe souvent en faisant de courte randonne avec mes copains.
8. La mer et le ciel bleu était toujours apprécié.
9. J'ai une ide pour répare la porte d'entre.
10. La liberte, l'amitie, la simplicite et la bonte était nécessaire pour se faire aime et pour mieux aime.
11. Des publicite trompeuse nuise souvent aux pauvre acheteur que nous sommes.
12. De la gele de fraise et des rôties bien chaude son succulente le matin.
13. Les mères travail souvent énormément pour aime et aide leurs petits enfants.

14. « Je travaille pour une bouche de pain », me disait souvent mon père et ma mère.

15. La saleté de la chambre noir vient de la fume des cigarettes.

16. Il a une pense pour toi, car il sait que tu es malade.

17. La nervosite des élève était souvent cause par la dictée de fin de session.

18. Les nouvel maison du quartier, tu les aimes beaucoup, malgré les trop haute chemine.

19. Mes joli chattes noir avai malheureusement beaucoup de porte de chat pendant l'année.

(corrigé aux pages 59 et 60)

Difficile *Cordon-bleu*

Ateliers 2 à 4 - **Verbes en er et autres difficultés**

Corrigez les phrases suivantes : accord **verbe** et **sujet**, **adjectif** et **nom**, attention aux **verbes** en **er**. Attention également aux **pléonasmes** et aux erreurs d'**orthographe**.

J'ai du parlé à Madame Côté, hier après-midi. Elle m'a raconter s'être emporter lors de la dernière réunion pléniaire. Elle se devait alors de précisé certains fait ayant traits au développement en ressource humaine. Elle affirmait se sentir embarrasser, fatiguer et peiner.

Selon elle, les dossier qui nous préoccupe devrait être classés dans les plus bref délai. Elle compte donc planifié une réunion afin de nous aidé à précisé nos objectif à plus ou moins long termes. Nous nous sommes presqu'entendues, elle et moi, sur les points à priorisés.

D'ici là, elle doit rencontré des représentant du Ministère de l'éducation et nous donné un compte-rendu détaillé de cette rencontre.

En ce qui nous concernent, il nous faudrait vérifié auprès d'elle les causes de son amer déception. De plus, il s'avérerait tout indiquer de nous préparé à cette rencontre et de veillé à son bon déroulement. Madame Côté affirme, par ailleurs, que le travail exécuter jusqu'à maintenant la satisfait entièrement. À l'avenir, elle compte faire fructifié notre expérience personnel.

Je vous contacterez donc pour une rencontre spécial qui devrait avoir lieu, à moins de hasard imprévu, vendredi le 8 mars prochain. Je vous serai gré de la notée à votre agenda. L'heure et le lieu reste cependant à précisés.

P.-S. Je vous laisse sur ces pensés du jour: «Si tu gratifis les personnes, tu lénifis leur travail, sans oublié que tu répertoris tous les à côté de situations dite particulières.»

(corrigé à la page 60)

Facile Cuistot 

Ateliers 2 à 4 - **Les pronoms-écrans**

Trouvez les erreurs d'**orthographe** des **mots** en **ée**, **é**. Accordez **verbes** et **sujets**, **adjectifs** et **noms**. Trouvez les **pronoms-écrans**, inscrivez leur **fonction (CDV, CIV)**. Corrigez aussi les **homophones** en **er** (infinitif, premier groupe) ou en: **é**, **és**, **ée**, **ées**, **ez**, **ai** (verbe conjugué).

1. Les soirée qu'il nous animerons sont prévu pour demain. (4)
2. Richard, je suis certaine que tes nouveau copain nous trouverons gentil et aimable. (5)
3. Lise et Paul nous les aurons préparés, ces succulent repas. (2)
4. Je vous préviendrez de leur arrivé, soyez-en assurer; vous pourrer ensuite me confié tous les problème rencontré, et ce, après la réunion. (7)
5. Elles nous aurait raconter des histoire folle. (4)

6. La libertée d'expression, on nous l'avaient interdite, et ce, malgré les louable travaux que nous avions préparés. (3)

7. Elle nous disaient toutes : « Charitée bien ordonné commence par soi-même. » (3)

8. Les leçon, pratiquées sur-le-champ, semble plus profitable que les leçon reportées à plus tard. (4)

9. Des ville entière, conquis par l'ennemi, semblait souvent oubliées par les soldat. (5)

10. La mauvaise santée des députée nous causaient des inquiétude nombreuse. (5)

11. Les dictés et les nombreuse activitée nous aurait permis de les aimé, les cours de français. (5)

(corrigé à la page 61)

Moyen

Ateliers 2 à 4 - **Les pronoms-écrans**

Corrigez les erreurs des phrases suivantes et accordez **sujet-verbe**, **adjectif-nom**, **déterminant-nom**. Attention aux **pronoms-écrans** !

1. Paul et Virginie nous rendrons ces séjour chez eux des plus agréable, malgré la pluie et le vent incessant.

2. Je vous préviendrez dès que je vous verrez, soyez-en assuré, Messieurs.

3. Je vous les réciterez, ces fameux poème oublié de nos enfance respective.

4. Jean et Hélène nous réabonnerons sans tarder à ces rencontres préarrangé.

5. Pierre et Paul nous reviendrons enchanté de cette soirée costumé.

6. Les parent nous les aurons tartinées, ces rôtie chaude et savoureuse.

7. Je vous direz ce que j'en pense, de ces histoire un peu loufoque et de ces fantômes aux vêtement bleu, de même qu'aux yeux parfois vert, parfois émeraudes.

8. Ces invités, digne de mention et reconnu, nous les aurons dédicacés, leur grand succès littéraire.

9. Rachel et Myriam nous les aurons remis, ces cadeaux tant espéré, et ce, malgré les heures interminable pendant lesquel nous aurons dû les attendrent.

(corrigé à la page 61)

Difficile *Cordon-bleu* 

Ateliers 2 à 4 - **Les accords**

Corrigez le texte suivant. Attention aux **adjectifs** (avec le nom), au **sujet** (avec le verbe). Attention aux **homophones er**, **é**, **ai**, **ez** et aux **pronoms-écrans**.

Certaine règles nous semblerons désormais plus facile à comprendre que nous le pensions. Elles nous permettrons de saisir les différence, parfois subtile, entre les homophone variés que certain exercice nous aurons permis de rencontré.

Ces charmant verbe homophone, il est vrai qu'autrefois les professeurs nous les montrait sans nous donné de truc intéressant pour bien les cerner et les apprendrent. Aujourd'hui, il est possible de les apprécié, de les comprendrent et de les expliqué à notre tour.

Quand vous travaillé, joué donc avec les différent truc et les règles récemment apprise. Savouré le fait qu'elles nous semblerons, à tous, de menu détail par rapport à toutes les exceptions de cette langue si belle dont ils vous fallaient pourtant retenir les principes de base.

(corrigé à la page 62)

Facile *Cuistot*

Atelier 4 - **Les homophones : ce, c'est, ses, etc.**

Corrigez les **homophones** s'il y a lieu. Accordez les **verbes** avec leurs **sujets**, les **noms** avec les **adjectifs**.

1. Ses petit fille sage était les célèbre personnage de tous c'est romancier bien connu. (10)
2. Il ce sont vu au restaurant, hier, et il ce sont parlé longuement. (5)
3. Ses robe, ces soulier et son manteau était prêt lorsqu'elle c'est levée. (6)
4. Ses assiette bleu qui ce trouve près de la porte d'entre de ma cuisine, se sont les assiette de ma grand-mère et se sont de très beau souvenir. (11)
5. Il ne c'est jamais rendu compte que ces erreurs était du aux homophones, maintenant il ce dit qu'il les sait. (5)
6. S'est vrai, se que tu dis de se personnage bizarre. (3)

(corrigé à la page 62)

Facile **Cuistot**

Atelier 4 - **Les homophones pêle-mêle !**

Choisissez entre chacun des deux homophones présentés pour compléter la phrase.

1. **Sais-c'est, ce-se, à-a, se-ce, ont-on**

Tu ________ qu'ils ______ voient tous les jours ______ midi, ______ n'est pas grave, mais _______ leur avait dit de nous avertir.

2. **On-ont, ses-ces, ont-on, à-a, se-ce, on-ont, ses-ces**

Ils______ cru ______ bêtises et ______ ______ dû leur dire ______ que l'______ savait de ______ histoires.

3. **Ses-ces, c'est-s'est, se-ce, ou-où, a-as**

Il a perdu _______ mitaines et _______ vrai qu'il ne les cherche plus depuis ______ jour ______ tu lui en ______ acheté de nouvelles.

4. **Se-ce, a-à, ont-on, ses-ces, ou-où**

Ils______ sont mis ______ hurler de terreur, quand _______ les a sortis de ______ trous ______ ils étaient tombés la veille.

5. **C'est-s'est, ou-où, ce-se, s'est-c'est, se-ce, ces-ses**

Il _______ regardé dans la glace, là ______ il ______ voit tous les jours, et _______ vrai qu'il ne ______ trouvait pas joli ; pourtant, tous _______ amis lui disaient le contraire.

6. **Se-ce, c'est-s'est, s'est-c'est**

______ crayon vaut plusieurs dollars, ________ vrai, car il vient de Chine et ________ ma mère qui me l'a rapporté.

7. **Se-ce, s'est-c'est, à-a, ses-ces, c'est-s'est, ou-où, se-ce**

______ directeur _______ présenté ______ tous ______ employés ; _______ bon pour eux de savoir ______ ils en sont et ______ qu'ils doivent attendre de lui.

8. On-ont, à-a, se-ce, ses-ces, ou-où, ont-on, s'est-c'est

_____ _____ bien aimé _____ revoir, après _____

vacances_____ l'_____ _____ amusés comme des fous.

9. Son-sont, à-a, ce-se, sont-son, c'est-s'est

Ils _____ venus _____ _____ rendez-vous sans que

je sache qui les avait invités, mais ils se _____ bien

amusés quand même et _____ cela qui compte.

10. Se-ce, cette-cet, ou-où, ce-se

Ils _____ sont retirés de _____ course, car ils ne savaient

pas _____ aller s'entraîner et _____ problème était

insurmontable.

11. A-à, ou-où, a-à, s'est-sait, a-à, ces-ses

Il va _____ Montréal _____ _____ Québec, car il _____ qu'il

peut trouver _____ ces endroits précis _____ outils qu'il désire.

12. A-à, s'est-c'est, ces-ses, ont-on, ce-se, à-a

Je vais _____ l'épicerie toutes les fins de semaine et

_____ ainsi que j'économise, car _____ prix réduits des

circulaires _____ les oublie très souvent, sans _____

rendre compte _____ quel point ils nous font économiser.

13. Sont-son, a-à, s'est-c'est, à-a

_____ chandail de laine est _____ sa place et _____ vrai

qu'il _____ pu le perdre, parfois.

14. On-ont, à-a, ses-ces, son-sont, à-a, ont-on

_____ ___ fini de trouver _____ homophones qui_____

souvent plus faciles _____ écrire que l'_____ croyait.

(corrigé à la page 63)

Facile *Cuistot*

Atelier 5 - **Finales de verbes**

Choisissez le **passé simple** ou l'**imparfait**, selon le cas.

Il était une fois un homme qui (marcher)_______________ .

Il (rencontrer)_______________ soudain une petite brebis

qui lui (raconter)___________________ son histoire.

Il (l'écouter)_________________ sans rien dire. Quand

elle (avoir terminé)___________________________ , il la

(prendre)______________________ dans ses bras et

(l'emmener)_________________ jusque chez lui.

Il (être)_____________ très heureux d'avoir enfin une amie,

lui qui (être)______________ toujours seul.

Il lui (faire)_________ un lit, il se (coucher)______________

et (s'endormir)________________ , ce soir-là, tout confiant.

Au matin, il (ouvrir)___________________ les yeux.

Il (regarder)________________ partout. Il (être)__________

inquiet. Plus rien. Pas de brebis en vue. Il se (mettre)________

à pleurer. Soudain, il (voir)__________ , sur la table de la

cuisine, un beau chandail de laine. Il le (toucher)__________

de ses doigts tremblants. Il (comprendre)______________ alors

que la brebis lui (avoir donné)________________ ce précieux

bien de sa fourrure pour le réchauffer pendant l'hiver.

(corrigé aux pages 63 et 64)

Facile *Cuistot*

Atelier 5 - **Histoire d'octobre...**

Choisissez le **passé simple** ou l'**imparfait**, selon le cas.

Le matin se (lever)____________ à peine quand nous (entrer)________________ dans la maison. La brume, qui (couvrir)_____________ habituellement le sol alourdi de gelées d'automne, (être)___________ à peine visible. Dans la maison, (régner)_______________ une froide et intense humidité. J'(enlever)____________ mes gants et (toucher)____________ timidement, du bout des doigts, les murs verdâtres de la cuisine où je (venir)_____________ d'entrer. Ah ! ces murs qui nous (avoir vu)_____________ grandir ! Nous (sauter)___________ alors, indisciplinées enfants que nous (être)___________ , sur tout ce qui ne (bouger)_____________ pas : fauteuil, matelas, coussins, tout y (passer)_____________ !

Je ne (dire)_____________ mot. Mes sœurs, restées plus loin, (entrer)_________________ tout à coup. Ébahies, elles (regarder)________________ la maison comme si elles n'y (avoir)________________ jamais mis les pieds. Moi ? Je (me souvenir)___________________ de tout. Des odeurs de pain grillé à celles, plus subtiles, des sous-bois qui (envahir)________________ ma chambre, les doux soirs d'été. De l'horloge arrêtée, suspendue telle une horrible chouette au-dessus du piano, à cette magnifique et unique toile de carton sur laquelle (reposer)________________ un ange, penché sur un berceau. La maison... Nous la (quitter)_______________ bien malgré nous. Elle (porter)______________ , dans ses fibres, nos cauchemars d'enfants, les disputes de nos parents, les cordées de linge battues par le vent, les bulletins égarés et nos premières amours déçues.

Elle (raconter)_______________________ mes larmes tièdes

lorsque les couvées d'hirondelles suspendues à la porte

(tomber)_______________ immanquablement, sur le perron

ensablé. Nous la (revoir)______________ pour la première fois,

en 40 ans, mais elle serait à jamais pellicule intacte d'un passé qui

me (couler)_____________ entre les mains, pour la dernière fois.

(corrigé à la page 64)

Facile *Cuistot*

Ateliers 2 à 6 - **Les participes passés : être**

Selon le cas, accordez les **verbes** avec leur **sujet** ; accordez également les **participes** (employés avec **être**) ; accordez les **adjectifs** avec le **nom** ; corrigez les **homophones**.

1. Cette mère était sûr d'être aimé de ces enfant et elle était convaincu qu'elle avait raison. (5)
2. Nous serions, hélas ! tous désenchanté de ce film. (1)
3. Le garçon et la fille serait revenu de ses voyage les main pleine de trésors tous plus beau les uns que les autre. (8)
4. Marie-Ève et Nory était occupé a terminé se travail ; elles étaient toutes deux très concentré. (6)
5. La vie, l'amour et le temps serait vite oublié si nous étions moins attentif a les savouré. (5)
6. Marc et Luis était arrivé le matin, mais ils était reparti le soir même. (4)
7. La pluie, la neige, le vent et la poudrerie serons peu apprécié cet hiver encore. (2)
8. « Je n'étais pas du tout fâché », disait Marie et Sonia. (2)
9. Ils était désolé du retard de cet avion qui ne partirais pas avant la nuit tombé. (4)

10. Assis sur le banc de ce parc, les petite fille semblait soumis et obéissante. (6)

11. Les phrase composé avec des erreur grammaticale fatiguait beaucoup Marie-Ève, qui rouspétais. (6)

12. Michael et Jeoffrey, si vous étiez venu à ce rendez-vous, vous seriez reparti enchanté, je vous le jure. (3)

13. Trop épuisé par ces nuit d'insomnie, Nicole n'est pas allé à l'école ce matin ; ces professeurs la comprendrons bien, elle en est tout à fait assuré. (7)

14. Les garçons et les filles serait reparti enchanté de se voyage, s'est se qu'il dise. (8)

15. Les villes de pays lointain, conquis et maintenu dans la terreur, pourrait bien, un jour où l'autre, être des villes d'ici. (5)

16. La marche nuptial n'est plus chanté de nos jour, car les gens préfère ne plus se marier. (4)

(corrigé aux pages 64 et 65)

Moyen *Chef*

Ateliers 2 à 6 - **D'autres êtres !**

Corrigez, s'il y a lieu, les **participes employés seuls** ou avec l'**auxiliaire être**. Attention aux **accords** des **verbes** avec le **sujet**, aux **accords** du **nom** avec l'**adjectif**.

1. La peine de mort est heureusement aboli dans de nombreux pays dit développé et plusieurs en sont ravi.

2. Les pompiers ont été fort bien accueilli lors de ses fête organisé pour eux, il est erronée de croire le contraire.

3. Cette femme, malgré les prouesse prestigieuse de ces avocat, avaient été injustement accusé et les tribunaux avait refusé de lui donné une seconde chance.

4. Sa petite-fille est malade en automobile, aussi, son grand-père doit-il tenir la vitre baissé lorsqu'ils sont en voiture, se qui l'aide a se sentir soulagé et disposé.

5. La banque fut assiégé par des criminel endurci, mais les policier, appelé sur les lieux, sont vite parvenu a libéré les otage, tenu jusque-là en captivitée.

6. Lors des jeux olympiques, les sportifs ont été accusé de dopages, ils ont été disqualifié et placé sous surveillances.

7. Les marais, dont ont entendaient le chant des grenouille, l'été, ont été asséché par des climat rendu trop chaud.

8. Notre enfance et celle de nos enfant avait été bercé par des histoires mainte fois raconté, toutes enjolivé.

9. Avec le réchauffement planétaire, les récoltes sont diminué par la sécheresse qui envahi nos saisons; aussi, les humains sont-il invité a se responsabilisés.

(corrigé aux pages 65 et 66)

Facile *Cuistot*

Ateliers 2 à 7 - **Les participes : avoir**

Selon le cas, **accordez** les **verbes** avec leur **sujet**; **accordez** les **participes** (**avoir** et **être**); **accordez** les **adjectifs** avec les **noms** qu'ils qualifient.

1. Les visite qu'ils avait fait en fin de semaine ne les avait pas beaucoup rassuré. (5)
2. Nous l'avons visité, la ville de Québec; les rue y était ensoleillé. (4)
3. Le garçon et la fille les avait connu ses problème de santé, mais ils avait aussi reçu beaucoup d'amour pour les encourager. (5)
4. Lyne les avaient adoré, ses enfant-là et elle avait tout fait pour qu'ils soit heureux, malgré les difficultées rencontré. (7)
5. Il les avait revu ces livre de leur jeunesse. (4)
6. Tu ne nous avait pas invité à ces souper que tu avais donné et nous étions peiné. (5)
7. Les livre entier que j'ai lu, tout au cours de ma vie, m'ont toujours intéressé, disait ma voisine. (4)
8. Ils les avait réussi, leurs examen de fin de session, mais il était difficile. (6)
9. Elles les leur avait toujours offert, les félicitation qu'ils avait espéré, pourtant, les enfant était encore un peu déçu, car ils avait souhaité plus d'encouragement. (9)
10. Les mignonne petite fille de la pouponnière, nous les avions pris dans nos bras; elle était fragile sous leur petit chapeau. (7)
11. Je les ai surpris et elle se sont envolé, ces petites mouche noir qui se trouvait dans la classe. (6)

12. Les auteurs, lu par de nombreux élève, n'était souvent pas connu du public. (4)

(corrigé à la page 66)

Moyen *Chef*

Ateliers 2 à 7 - **D'autres avoirs !**

Dans les phrases suivantes, repérez les **participes passés** avec **avoir** et corrigez-les s'il y a lieu. **Attention** aux participes avec **être**, aux accords des **noms** et **adjectifs**, des **verbes** avec le **sujet** et aux **homophones**.

1. Les pommes, lavé et pelé avaient été placé dans le garde-manger et ont les avait dévoré après le souper.
2. Les phrases compliqué avait été créé dans le but de nous faire avancer, cependant, nous les avions ignoré.
3. Céline les a eu avec toi, Lynda, ces conversations teinté d'humour et rempli de petites anecdotes.
4. Luc me les a rendu, ces document relié que tu lui as demandé ; il les a imprimé au bureau, au cour de la soirée ; ils seront lu avec attention, dès demain.
5. Tu l'as bercé, cette enfant si tapageuse, et elle est devenu tout-à-coup calme et sereine.
6. Susan les a compris, les règles qui régissait les participes passé employé avec avoir ou être.
7. Les femmes qui ont assumées ces fonctions l'an dernier sont parti à la retraite et seront remplacé sous peu.
8. Voici des fleurs, des perles et des fruits que j'ai acheté pour vous, chez ces marchand très occupé.
9. C'est sa gentillesse que nous avions apprécié et qui nous a le plus profondément manquée lorsqu'elle nous a quitté.

10. Les grands chagrins que Carolyne a eue l'avait marqué profondément, mais elle était à nouveau rempli d'espoir.

11. Ma petite sœur fut baptisé du doux nom de Manon, mais ma mère, n'ayant pu assisté au baptême, croyait qu'elle avait été prénommé Hélène.

12. Les folies que nous avons fait dans notre jeunesse, nous ne voulons pas que nos enfants les fasse à leur tour.

13. Les paroles que tu m'as chuchoté resterons gravé dans ma mémoire et ne serons jamais oublié.

(corrigé aux pages 66 et 67)

Ateliers 2 à 8 - **Pronominaux**

Corrigez les verbes **pronominaux**, s'il y a lieu, accordez aussi les autres **participes**, les **verbes** avec le **sujet**, les **adjectifs** avec les **noms** et... attention aux **homophones**.

1. Elles s'était amusé à repeindre cette drôle de fenêtre et elles s'était arrêté après quelques heures, fatigué et presque épuisé. (6)

2. Nous nous étions rencontré sur le boulevard, sous la pluie torrentiel de se mois de septembre. (3)

3. Ils s'était mêlé à nous, et ce, sans que nous ayons a les convaincres. (4)

4. Michel, Nicole et Élodie s'était parlés longuement de se débat sur la Constitution. (3)

5. Tu l'avais vu, cette automobile dont l'immatriculation affichait : « Nous nous sommes souvenu » ? (2)

6. Si tu l'avais voulus, nous nous serions amusé pendant ses projection-là, que nous avions trouvé un peu trop longue. (6)

7. Les petits oiseau bleu, posé tranquille dans le jardin, se sont envolé dès que Lyne est sorti de la maison. (6)

8. Josianne, mon ami d'enfance, ne s'est jamais complue dans le malheur. (2)

9. Les fervent catholique se sont agenouillé devant l'autel ; quelque personne qui passait par là se sont moqué d'eux. (7)

(corrigé à la page 67)

Facile 

Atelier 8 - **Pronominaux**

1. Je me suis absenté____, disait Marie à sa voisine.
2. Tu t'étais enfui____, Lise, sans demander ton dû.
3. Nous nous serions plaint____ du directeur.
4. Ils se sont embrassé____, fiers de s'être retrouvé____.
5. Elles se sont levé____ trop tard.
6. Vous vous étiez évanoui____ de peur, Messieurs.
7. Nous nous étions coupé____ les cheveux.
8. Vous vous seriez défait____ de ce chien malade.
9. Maryse et Chantal se seraient nui____ en voulant s'aider.
10. Elles se sont prélassé____ au soleil comme des lézards.
11. Nicole s'est vite rendue____ compte de son erreur.
12. Ils s'étaient ris____ de nous.

13. Elles se sont complues_____ dans leur malheur.

14. Les chatons s'étaient démené_____ comme des diables.

15. Sans votre aide, ils se seraient sans doute suicidé_____ .

16. Luc et Paul se sont attiré_____ de beaux problèmes !

17. Les marchandises se sont vendu_____ rapidement.

18. La jeune femme s'est enfin trouvé_____ un emploi.

19. Ces amoureux se sont découvert_____ et ils se sont adoré_____.

20. Les emplois que vous vous êtes trouvé_____ sont bien rémunérés.

21. Ainsi déguisées, elles s'étaient vu_____ dans le miroir et elles s'étaient mis_____ à rire.

22. Les enfants se sont élancé_____ sur leurs grands-parents.

23. La petite Julie s'est brisée_____ le genou en tombant.

24. Les nouveau-nés se sont endormi_____ sans tarder.

(corrigé à la page 68)

Facile

Atelier 9 - **Les participes, saveurs étranges**

Faites les **accords**, si cela est nécessaire.

1. La peine qu'il a ressenti_____ était plus importante que je ne l'avais imaginé_____ .

2. Vous trouverez les feuilles ci-joint_____ dans les livrets ci-annexé_____ .

3. De tes problèmes et des réalités que tu vivais, personne ne m'en a parlés_____ .

4. Ces joies, il aurait fallues_____ qu'il les vive plus tôt.

5. Tu m'as raconté toutes ces choses dont tu avais pu_____ te souvenir.

6. Les 20 dollars que ces bricoles m'ont coûtés_____ me semblent, à présent, du vol.

7. Passés_____ ces jours sombres, tu t'étais senti_____ de nouveau en santé, Martine.

8. Les jours attendu_____ dans la fébrilité rapportent de la joie, celle que nous avions espéré_____ , en fait.

9. Les garçons étaient tenu____ à l'écart, les filles y compris____.

10. Étant donné_____ les erreurs passé_____ , nous vous comprenons mieux.

(corrigé aux pages 68 et 69)

Difficile *Cordon-bleu*

Ateliers 6 à 9 - **Les participes passés**

Corrigez les erreurs touchant **tous** les **participes passés**.

L'ourse

Nous étions convaincu et nous en avions convenus : nous les aurions pris avant la brunante, ces images tant espéré de l'ourse. Depuis déjà un mois et demi, nous l'avions surveillé, traquant chacun de ses pas, humant l'air qu'elle humait, parfois terrorisé tous les trois par sa présence et, l'instant d'après, tout à fait subjugué par sa prestance.

C'est qu'elle était magnifique ! Splendide, même. De plus, elle était mère ... elle avait mise bas au printemps et nous étions déjà à la mi-juin.

C'est par un pur hasard que nous l'avions découvert, avec ses petits. Cet après-midi-là, nous nous étions donnés rendez-vous près de la cabane, au fond du bois. Trois jeunes garnements, insouciants et libres, nous fuguions volontiers quand arrivait le printemps, l'école buissonnière étant celle où, depuis toujours, nous avions obtenus les meilleurs résultats !

Épuisé par la course folle de l'école jusqu'à notre refuge improvisée, nous ne les avions pas remarqué tout de suite : ce n'est qu'au grognement extraordinaire de la mère que nous avions comprit. Elle fonçait droit sur nous, pris de rage et habité tout à coup d'un sens aigu de protection : sauver ses petits semblant son seul but, quitte à y perdre elle-même la vie.

Nous étions jeunes et inexpérimenté. Cet amour et cette abnégation nous étaient tout à fait étrangers. C'est pourquoi nous avions mise un certain temps avant de réagir et de prendre nos jambes à notre cou. Il était plus que temps ! Fougueuse, amoureuse de ses petits et néanmoins rempli d'une haine palpable et féroce à notre égard, la mère fonçait littéralement sur nous.

Les sentiers à peine dessiné de cette forêt ombrageuse, c'est peu dire qu'on les avait dévalé ! Essoufflé, apeuré, mais profondément ravi, nous étions enfin parvenu à la lisière de ces bois devenu porteurs d'un sens non imaginés : une mère ourse et ses petits y grandissaient, à l'abri de la folie des hommes.

Ces images de la vie, grandeur nature, nous les avions voulu pour nous, pour ces jours maussades et rempli de vide qui viendraient inexorablement ternir nos plus intimes souvenirs. Ces images de la vie, nous les voulions pour oublier que nous avions grandis et que nous serions, désormais, confronté au banal et à l'insipide du quotidien.

Nous désirions immortaliser les petits, tétant goulûment le ventre montagnesque de leur mère. Nous les avions espéré des nuits durant, ces oursons. Nous nous étions donc retrouvé là presque chaque jour depuis le début mai. Nous y étions revenu une dernière fois cet après-midi-là, convaincu qu'il nous les aurait fallues, ces images uniques devenu si précieuses.

Armé de notre seul appareil photographique, tapi sur le sol comme des guerriers sans guerre, nous avions eue la mère à l'œil. Nous le sentions, c'était aujourd'hui ou jamais. Il faisait un soleil magnifique, à peine estompée par les branches des arbres. C'était un bel après-midi d'été. Les petits avaient grandis. Malgré l'interdit fulgurant émise par la mère, nous les avions maintes fois vu et savourions ces moments béni où, comme nous, ils échappaient à l'auguste vigilance. Ils étaient rondelets, leur ventre rebondis prouvant hors de tout doute que le bonheur est dans les prés ! Ils jouaient, roulaient dans l'herbe haute et, ébahi, nous assistions à ce spectacle. Au moment où nous allions dégainer notre arme photographique, la mère nous vit.

Lentement , elle se leva . D'un grognement sourd , elle donna l'ordre aux oursons de se cacher derrière elle . Elle s'assit alors , aussi immobile qu'un bouddha de pierre , et resta ainsi plusieurs heures . Jusqu'à la brunante , en fait . Lorsque nous avons quittés le bois , ce soir-là , la pellicule était demeuré vierge , mais nous avions eus le coeur remplis de l'amour maternel d'une ourse pour ses petits . Nous avions compris , et pour toujours , où se trouvaient les plus belles images . Libéré de l'absurde et inutile poids de notre quête , nous allions passer le plus merveilleux de tous nos étés .

(dédié à Jean-Claude Lauzon)

(corrigé aux pages 69 et 70)

Moyen

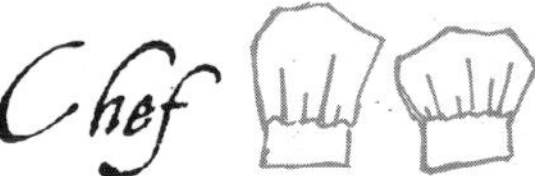

Ateliers 2 à 11 - **Les leur sont des leurres**

Corrigez les **leur**, les **participes** et les **erreurs** des autres règles apprises.

1. Je leurs avais bien dit que leurs peines était trop grande pour être consolé en un seul jour .
2. Ils nous les avait raconté , leur souvenir de voyage , leurs retours dans la tempête et leurs goûts de repartir au plus vite , malgré tout .
3. Après ce spectacle , au cour duquel elles avait donnés « leurs meilleurs » , elles avait mis leurs manteaux en peau de renards et , malgré les difficultés rencontré , elles était reparti sans hontes de leurs performances .
4. Kathleen et Guylaine s'était rencontré après leurs dîners et elle s'était données de vague nouvelle .

5. Sans sourires, la vie serait sans éclats et sans joies.

6. Des moments de bonheurs et de tristesses jalonne leurs vies.

7. Ce matin-là, après l'incendie de leurs domiciles, nous sommes resté près de leur enfant, Mylène et Fabrice, et nous avons apportés de succulent repas pour égayer leurs journées sans soleils.

8. Les jours les séparant de leurs retraites était compté et ce n'est pas sans joies qu'ils les attendait.

9. De bon sujet de conversations sont toujours apprécié quand nous allons chez-eux.

10. Ils lisaient leurs journaux en prenant leurs cafés.

11. Tu les leurs as demandé, les copie ci-joint, et ils te les ont rapporté sans retards.

12. Leurs sessions d'hiver terminées, tous leur examen passé, nous leurs donneront leurs notes sans retard.

(corrigé aux pages 70 et 71)

« Il y a ceux qui mangent de tout et ceux qui boufferaient n'importe quoi. »

- Francis Pelletier -

Extrait de l'affichette *La différence* (Les Pelleteurs de nuages)

Facile *Cuistot*

Ateliers 2 à 12 - **Exercices sur les tout, les quelques et les autres règles apprises**

1. Les mamans, toute énervé, voyait arriver les enfants de leurs premiers voyages. (6)
2. Elle n'a pu attendre que quelque minute avant son arrivé, car elle était très oppressé, bousculé même, par tout ses récent événements qui l'avait perturbé. (10)
3. Elle lui a remit quelques deux cent dollar et il est partit avec tout ces bagages. (8)
4. Vos dicté de fin de session était souvent comparé à des moments de tortures, pourtant vous étiez bien préparé. (5)
5. Tu as la tête et le cœur tous rempli de musiques et de chanson. (4)
6. Toute ses magnifique maison rouge que tu avais aperçu près de la mer était habité, l'été, par quelque vacancier que tu ne connaissais pas. (10)
7. Vous leurs racontiez tout vos souvenirs. (2)
8. Tout les jours, quel que soit la température, elles se levait a la même heure. (4)
9. J'ai mis de beau gant neuf pour allé a se spectacle de marionnette avec mes enfants. (7)
10. Leurs amitié était si forte ! Ils s'était connu au cours de leurs enfances et ne s'était jamais quitté. (7)

(corrigé à la page 71)

Moyen 

Ateliers 2 à 12 - **Quelques autres exercices**

Corrigez les erreurs rencontrées, les **quelques** y compris.

1. Quel que soit les heures investi, ton travail, tu devras le reprendre.
2. Tu as conduit quelques trois-cents-cinquantes kilomètres et tu ne t'es pas senti fatigué, Maryse ?
3. Ah ! cher enfant ! tu trouves toujours quelque bonne raison pour expliqué le désordre de ta chambre ; sans doutes est-ce du à ton adolescence.
4. Lysa me disait : « Depuis quelque heure, je travaille, mais toi, Sonia, je me suis rendue compte que, depuis quelques temps, tu as terminé. »
5. Quelque merle se sont envolé ce matin, vers de lointain horizon ; ils nous reviendrons.
6. Tu les as mainte fois lu, ces quelques cents livres.
7. Avant d'arrivé à la fin de la session, il nous faudra faire quelque exercice et les reprendrent aussi souvent qu'il sera nécessaire, fournissant ainsi de réel effort.
8. Michael et Joyce avait vraiment fait preuve de quelques indulgences, il faut en convenir, mais ils s'était aperçu que leurs bonheurs était plus fragile qu'ils ne l'avait prévus.
9. Ces quatre-vingt kilos, est-ce possible qu'il les ait déjà pesés ? Quelqu'en soit la cause, il en a perdus beaucoup depuis ces dernières semaines, et ce, sans régimes.

(corrigé aux pages 71 et 72)

Moyen 

Atelier 14 - **Quoi que, quelquefois, etc.**

Corrigez les **homophones** : quelques fois, quelquefois, davantage, d'avantages, plutôt, plus tôt, quoique, quoi que, quand, quant, s'il y a lieu. Corrigez les erreurs des autres règles apprises.

1. Quelques fois, je pars me promener pour me détendre plus tôt que de rester là, à me faire d'avantages de souci.
2. Les quelquefois où tu as dû t'absenter, tu n'es pas arrivé plutôt que prévu, Éliane, et tu avais d'avantages de travail.
3. Quoique tu en dises, je préfère plus tôt les bananes aux pruneaux, même si ces derniers contienne d'avantages de vitamines.
4. Quant il l'a aperçu, sur le trottoir, il a saluée Mélina, sans en dire d'avantages.
5. Lise, quoi que malade depuis une semaine, s'est empressé d'arriver plutôt que prévu ; quand à Robert, il lui arrive quelques fois de ne pas avisé quant il est en retard.
6. « Si tu en faisais d'avantages, je serais étonné et un peu surpris, car quelques fois, tu te contentes de faire le minimum », me disait ma grand-mère adoré.
7. Vous conviendrez avec moi qu'il y a plus davantages à procéder de cette façon, quoique puisse en penser vos collègues.
8. Maîtrisé l'informatique est une qualité pleine davantage.
9. Quoi que nous soyons en santé, nous préférons quelques fois nous reposer plus tôt que de faire du sport ; quand à lui, il fait les deux.

(corrigé à la page 72)

Difficile *Cordon-bleu*

Atelier 14 - **Quoique d'autres homophones existent...**

Dans ce texte se trouvent des erreurs d'**homophones**, d'**accords** du verbe avec le sujet, d'accords des **participes passés** avec être, seuls ou avec avoir et des **pronominaux**. Enfin, cherchez !

Hommage à Romain Gary

Cet auteur, je le lisais quelques fois près de la fontaine. Les oiseaux n'y gazouillait jamais le soir, mais plus tôt le matin. Quelque page, décollé et froissé, me rappelait que je l'aimais tant ! Plus tôt que relire toute son œuvre, ce que j'avais déjà fait maintes fois, je relisais *La vie devant soi*.

Il s'appelait Romain Gary où, quelques fois, Émile Ajar. Il avait user de cette imposture, d'avantages pour trompé les journalistes que pour défié ces lecteurs. Quant on le lisait d'assez près, avec l'attentions et l'intelligence du cœur, on reconnaissaient facilement tout les attributs de son écriture si particulière. Quelques fois cynique, plus tôt bavard, il était toujours drôle, de cet humour rebelle qui confinait d'avantages au désespoir.

Ces lecteurs l'avait aimer plus que tout. Ces détracteurs, quelque journaliste, l'avait brisé. Dans l'isolement de son écriture, avec sont talent grandioses, ont l'avait, d'une certaine façon, forcé a se caché pour écrire. A se caché sous un nom d'emprunt. Romain Gary : Émile Ajar. Tout deux ne faisait qu'un.

Quoi que personne ne se soit doutée de sa double existence, il avait peur. Peur de passé pour un voleur, peur de tout ces lecteurs auxquel il n'aurait pas voulu déplaire. Mais, il écrivait plus encore, quelques fois sous le nom de l'un, quelques fois sous le nom de l'autre.

Quant il s'est donnée la mort, en 1980, la véritée, ont l'a enfin connu. Les prix qu'il avait gagné, les honneurs qu'il avait reçu, tous cela fut mis en évidence. Pourtant, ce qui toujours restera gravée dans les mémoires, c'est que cet écrivain est le seul a avoir gagner deux fois le prix *Goncourt* !

Oui , il écrivait sous un nom d'emprunt , mais les journalistes qui l'accusait d'écrire toujours les même chose ne s'en était jamais rendus compte ! Quand à moi , assise là , près de la fontaine , quoi que si triste de sa fin tragique , je voyais , à travers chacune des page de *La vie devant soi* , froissé d'être tant lu et relu , à quel point cet homme extraordinaire avait réussis a s'imposé , dans la vie , hélas ! désormais « derrière soi » !

(corrigé aux pages 72 et 73)

La différence

*« Il y a ceux qui y croient
et ceux qui la font. »*

- Francis Pelletier -

Extrait de l'affichette *La différence* (Les Pelleteurs de nuages)

Difficile

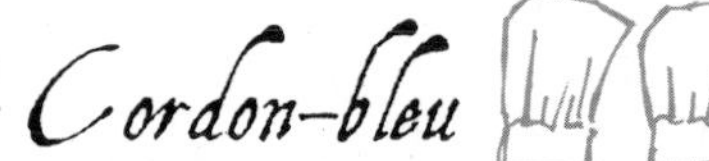

Ateliers 2 à 24 - **Je me souviens**

Révision globale. N'oubliez pas de **corriger**, de **ponctuer** le texte et d'y **voir la syntaxe**, au passage.

Elle nous avaient invité à se souper d'anniversaire Comme nous en étions émerveillé Cela faisait bientôt huit ans que nous habitions la maison de Madame Desrosiers (nom entre tous prédestinée car ces terrain entier était tapissé de rose) et voilà que la propriétaire nous invitait à cette grande fête qu'elle avait organisé en l'honneur de la vie

Nous sommes donc arrivé vers 17 heure histoire de prendre l'air et une bonne gorgée de cette tisane si particulière dont Madame Desrosiers seul avait la recette Elle nous attendait sans impatiences de large ride parsemait son front et ses joue blêmi par la maladie

C'est que depuis plus d'un mois ces fameux diagnostics qui font si peur elle les avait reçu Elle avait deux cancer mais qu'importe Elle avait aussi le goût de vivre et s'est cela qui l'avait motivé à organisé cette fête Nous venions fêté nous avait-elle dit en nous invitant l'anniversaire de l'existence Elle avait 80 ans ce jour-là Comme elle était enjoué rieuse rempli d'humour et de sagesse Un diagnostic de cancer nous aurait effrayé tous mais pas elle Mais voyons donc les amis avoir peur de la mort à 80 ans Il faudrait être bien folle J'ai vu bien pire de mon vivant que ce que je ne verrai pas en mourant S'est cet humour empreint de sagesses qui nous faisait l'admirée Nous l'avions connu ainsi et elle n'avait pas changé Elle ne changerait pas pour un diagnostic nous répétait-elle le front rieur

Sur les tables orné de fleur sauvage se trouvait d'innombrable petit plat mijoté avec tant d'amour que nous en étions ébahi Ont pouvait a peine parlé tant on était émus C'est elle qui prit la parole Bonsoir cher ami Comme le plaisir est grand de vous recevoir chez-moi vous qui avez pris soins de ma maison depuis plus de huit an déjà J'ai tout préparé les table y-compris Vous pouvez donc profité de tout sans vous posez de question Faites donc comme chez-vous

L'atmosphère n'était pas lourde Madame Desrosiers savait y faire Une musique des année 1950 jouait baignant la pièce éclairé par le soleil de fin d'après-midi d'une grande paix Tout les plats posé sur la table comme des relique sainte nous invitait à nous laisser gâté

Capucine la vieille chatte noir ronronnait doucement bien assis sur les genoux de sa maîtresse Plutôt timide d'habitude elle était ce soir-là tout-à-fait calme comme si les choses tu elle les avait compris

C'est une fois de plus Madame Desrosiers qui rompit le silence paisible qui nous berçait Je me suis souvenu de chacun des détail de ma jeunesse quant je l'ai acheté cette chatte Je me suis levé ce matin-là avec la vive émotion de mes quinzes ans J'avais envie d'un animal a protéger et voilà que Capucine est entré dans ma vie N'est-ce pas ma belle Et Capucine d'un miaulement doux la regardait habitué qu'elle était au confidence de sa maîtresse à leur échange si subtil presqu'amoureux à tout les deux Mais... passé donc a table Je suis sotte de vous laissez languir devant tant d'arôme Vous devez mourir de faim s'écria-t-elle tout-à-coup Devant tant d'énergies nous nous sentions gêné nous nous sentions un peu comme des voyeur hypnotisé par l'admirable richesse de cette vieillesse que plus rien n'effrayait

Nous l'avons dévorée se souper nous les avons goûté chacune de ces parole Puis la vieille horloge sonna vingt-et-une heure Le temps avait coulé doucement comme les quatre-vingt ans que nous avions fêté ce soir-là

Nous nous sommes laissé sur tout ces moments de grâce sur tout ces vérités à peine murmuré puis heureux et aussi paisible que Madame Desrosiers nous sommes entré chez-nous chez-elle prenant en son honneur chacun une rose aux nombreux jardin fleuri qu'elle nous avait laissé en héritage

(corrigé aux pages 73 et 74)

Vos Secrets...

Le nombril du monde (la suite...)

Un jour, j'ai senti une pression sur moi. J'ai pensé : « Tiens, la main de ma mère ! » mais ça n'avait plus cette douceur, cette tendresse. Ça poussait, ça poussait. Et moi, je me sentais étouffé, de trop. J'étais pressé comme un poupon. Oh ! que j'avais peur ! J'entendais des voix qui disaient : « Pousse, pousse ». Et j'essayais de toutes mes forces. Rien à faire, je glissais, tête première, vers le petit tunnel noir. Là, j'ai vraiment cru ne jamais passer au travers. C'est mon plus terrible souvenir.

Puis, tout à coup, je me suis vu dehors. En dehors du ventre de ma mère, je veux dire. Plein d'yeux me regardaient, m'épiaient. Plein d'inconnus qui me faisaient des grimaces. Et j'entendais des « Oh ! » et des « Ah ! ». Alors, je me suis mis à hurler « Ouin, ouin, ouin » pour les faire taire, tous. Et sais-tu ce qu'ils ont fait ? Ils ont ri, ri, à gorge déployée.

Je ne comprenais plus rien. J'ai pensé que c'était parce que j'étais le seul qui était tout nu !

En tout cas... j'ai beaucoup questionné mon petit doigt là-dessus.
Il me dit que j'ai une mémoire d'éléphant. Ça prend plus de place,
mais ça ne trompe jamais qu'il dit.

Francis Pelletier

Extrait d'un conte inédit de Francis Pelletier : *Bébé-Noël* (Les Pelleteurs de nuages)

03- Corrigé des Mordus...

La main à la pâte

Natures et fonctions pour cuisiniers experts

(corrigé des pages 26 et 27)

S (CIV)
1. La vallée verte et le ciel bleu plaisent (aux touristes).
D N Adj. D N Adj. V D N

S (CDV) (CDV)
2. Tu peux (les) recevoir, (ces invités admirables).
P V P V D N Adj.

S (CC)
3. Ils arriveront (dès huit heures).
P V D N

S (CDV) S Att.
4. Il termine (sa session), il est très heureux.
P V D N P V A Adj.

S (CC) (CDV)
5. Nathalie a (toujours) obtenu (d'excellents résultats scolaires)
N V A PP D Adj. N Adj.

(CC)
(sans avoir véritablement étudié).
V A PP

S (Att.) S (CDV)
6. Benoît, grand et docile, est (un enfant) qui adore (la musique);
N Adj. Adj. V D N P V D N

S (CC) (CIV) (CC)
il joue (souvent) (du piano) (le soir, très tard).
P V A D N D N A A

S (CDV)
7. Les artistes invités chantaient (des chansons espagnoles et
D N Adj. V D N Adj.

(CC) CDV
québécoises) (devant les personnes venues les entendre.)
Adj. A P N PP P V

S (CDV) (CC)
8. Tu mangeais (des pommes sucrées) (dans le salon),
P V D N Adj. D N

(CC)
(vers dix-huit heures.)
D N

(S + CDV) CDV S Att. S (CDV)
9. (Les filles) que tu as vues sont belles : elles ont (des robes
D N P P V V Adj. P V D N

(CDV)
rouges, des souliers noirs et des manteaux bruns).
Adj. D N Adj. D N Adj.

S (CIV) (CIV) CDV S
10. Il parlait (à sa soeur aînée) (des problèmes incalculables) qu'il
P V D N Adj. D N Adj. P P

devait affronter.
V V

S (CC) S CIV (CC) (CIV)
11. J'arrive (de chez mon frère), il m'a (longuement) parlé (de toi).
P V D N P P V A PP P

Moyen 

Corrigez les verbes homophones : er, é

(corrigé de la page 27)

1. Tu dois les aim**er** ces petits êtres que la vie veut te confi**er**.
2. Tu as ador**é** mang**er** ce plat que tu avais prépar**é**.
3. Il faut se repos**er** quand on veut bien travaill**er**, me disait mon grand-père tant aim**é**.
4. Je te demande ce que tu veux port**er** pour all**er** à ce bal costum**é**.
5. Il nous faut oubli**er** les erreurs passées et continu**er** notre route, malgré les événements qui nous ont troublés.
6. Paul aurait voulu admir**er** ces photographies rapportées de voyages lointains.
7. J'ai à décor**er** cette chambre, à la renouvel**er** pour y couch**er** mon petit-fils, né hier.

Moyen 

Corrigez le vocabulaire : mots en é, ée ; accordez verbe-sujet, nom-adjectif, verbes homophones

(corrigé des pages 28 et 28)

1. Ils font des all**ées** et venu**es** multiple**s**, sans se repos**er**.
2. Simon et Sonia, vous seriez aimable**s** de me donn**er** ce livre et ces cartable**s** bleu**s**.
3. L'arrivé**e** du facteur avec ses pantalon**s** noir**s** et son blouson bleu faisai**t** peur aux chien**s** attaché**s** dans la cour des voisins.
4. Une armé**e** de bestiole**s** se trouve dans la cuisine fraîchement repeinte ; elles tacher**ont** les murs, si nous ne faisons rien.
5. Le petit chien et la vieille chatte étai**ent** les meilleur**s** ami**s** du monde.
6. L'intimit**é**, les idées et la volont**é** permett**ent** la réussite de projet**s** exceptionnel**s**.
7. Les soirées de pluie, je les passe souvent en faisant de courte**s** randonné**es** avec mes copains.
8. La mer et le ciel bleu**s** étai**ent** toujours appréci**és**.
9. J'ai une id**ée** pour répar**er** la porte d'entr**ée**.
10. La libert**é**, l'amiti**é**, la simplicit**é** et la bont**é** étai**ent** nécessair**es** pour se faire aim**er** et pour mieux aim**er**.

11. Des publicités trompeuses nuisent souvent aux pauvres acheteurs que nous sommes.
12. De la gelée de fraises et des rôties bien chaudes sont succulentes le matin.
13. Les mères travaillent souvent énormément pour aimer et aider leurs petits enfants.
14. « Je travaille pour une bouchée de pain », me disaient souvent mon père et ma mère.
15. La saleté de la chambre noire vient de la fumée des cigarettes.
16. Il a une petite pensée pour toi, car il sait que tu es malade.
17. La nervosité des élèves était souvent causée par la dictée de fin de session.
18. Les nouvelles maisons du quartier, tu les aimes beaucoup, malgré les trop hautes cheminées.
19. Mes jolies chattes noires avaient malheureusement beaucoup de portées de chats pendant l'année.

Difficile *Cordon-bleu*

Verbes en er et autres difficultés

(corrigé des pages 29 et 30)

J'ai dû parler à madame Côté, hier après-midi. Elle m'a raconté s'être emportée lors de la dernière réunion plénière. Elle se devait alors de préciser certains faits ayant trait au développement en ressources humaines. Elle affirmait se sentir embarrassée, fatiguée et peinée.

Selon elle, les dossiers qui nous préoccupent devraient être classés dans les plus brefs délais. Elle compte donc planifier une réunion afin de nous aider à préciser nos objectifs à plus ou moins long terme. Nous nous sommes presque entendues, elle et moi, sur les points à prioriser.

D'ici là, elle doit rencontrer des représentants du ministère de l'Éducation et nous donner un compte-rendu détaillé de cette rencontre.

En ce qui nous concerne, il nous faudrait vérifier auprès d'elle les causes de son amère déception. De plus, il s'avérerait tout indiqué de nous préparer à cette rencontre et de veiller à son bon déroulement. Madame Côté affirme, par ailleurs, que le travail exécuté jusqu'à maintenant la satisfait entièrement. À l'avenir, elle compte faire fructifier notre expérience personnelle.

Je vous contacterai donc pour une rencontre spéciale qui devrait avoir lieu, à moins d'imprévus, le vendredi 8 mars prochain. Je vous saurai gré de la noter à votre agenda. L'heure et le lieu restent cependant à préciser.

P.-S. Je vous laisse sur ces pensées du jour : « Si tu gratifies les personnes, tu lénifies leur travail, sans oublier que tu répertories tous les à-côtés de situations dites particulières. »

Facile 

Les pronoms-écrans
(corrigé des pages 30 et 31)

1. Les soiré**es** qu'i**ls** nous animer**ont** sont prévu**es** pour demain.
2. Richard, je suis certaine que tes nouvea**ux** copai**ns** nous trouver**ont** genti**ls** et aimabl**es**.
3. Lise et Paul nous les auro**nt** préparés, ces succulen**ts** repas.
4. Je vous préviendr**ai** de leur arriv**ée**, soyez-en assur**és** ; vous pourr**ez** ensuite me confi**er** tous les problèm**es** rencontr**és**, et ce, après la réunion.
5. Elles nous aurai**ent** racont**é** des histoir**es** foll**es**.
6. La libert**é** d'expression, on nous l'avai**t** interdite, et ce, malgré les louabl**es** travaux que nous avions préparés.
7. Ell**es** nous disaient toutes : « Charit**é** bien ordonn**ée** commence par soi-même. »
8. Les leçon**s**, pratiquées sur-le-champ, sembl**ent** plus profitabl**es** que les leçon**s** reportées à plus tard.
9. Des vill**es** entièr**es**, conqui**ses** par l'ennemi, semblai**ent** souvent oubliées par les solda**ts**.
10. La mauvaise sant**é** des déput**és** nous causai**t** des inquiétud**es** nombreus**es**.
11. Les dict**ées** et les nombreus**es** activité**s** nous aurai**ent** permis de les aim**er**, les cours de français.

Moyen 

Les pronoms-écrans
(corrigé des pages 31 et 32)

1. Paul et Virginie nous rendro**nt** ces séjour**s** chez eux des plus agréabl**es**, malgré la pluie et le vent incessant**s**.
2. Je vous préviendr**ai** dès que je vous verr**ai**, soyez-en assur**és**, Messieurs.
3. Je vous les réciter**ai**, ces fameux poèm**es** oubli**és** de nos enfanc**es** respectiv**es**.
4. Jean et Hélène nous réabonnero**nt** sans tarder à ces rencontres préarrang**ées**.
5. Pierre et Paul nous reviendro**nt** enchant**és** de cette soirée costum**ée**.
6. Les paren**ts** nous les auro**nt** tartinées, ces rôti**es** chaud**es** et savoureus**es**.
7. Je vous dir**ai** ce que j'en pense, de ces histoir**es** un peu loufoqu**es** et de ces fantômes aux vêtemen**ts** ble**us**, de même qu'aux yeux parfois ver**ts**, parfois émeraud**e**.
8. Ces invités, dign**es** de mention et reconn**us**, nous les auron**t** dédicacés, leur grand succès littéraire.
9. Rachel et Myriam nous les auron**t** remis, ces cadeaux tant espér**és**, et ce, malgré les heures interminabl**es** pendant lesquel**les** nous aurons dû les attendr**e**.

Difficile *Cordon-bleu*

Les accords

(corrigé des pages 32 et 33)

Certain**es** règles nous semblero**nt** désormais plus facile**s** à comprendre que nous le pensions. Elles nous permettro**nt** de saisir les différenc**es**, parfois subtil**es**, entre les homophon**es** variés que certai**ns** exercic**es** nous auro**nt** permis de rencontr**er**.

Ces charman**ts** verb**es** homophon**es**, il est vrai qu'autrefois les professeurs nous les montrai**ent** sans nous donn**er** de trucs intéressan**ts** pour bien les cerner et les apprendr**e**. Aujourd'hui, il est possible de les appréci**er**, de les comprendr**e** et de les expliqu**er** à notre tour.

Quand vous travaill**ez**, jou**ez** donc avec les différen**ts** tru**cs** et les règles récemment appris**es**. Savour**ez** le fait qu'elles nous sembleron**t**, à tous, de men**us** détail**s** par rapport à toutes les exceptions de cette langue si belle dont i**l** vous falla**it** pourtant retenir les principes de base.

Facile 

Les homophones : ce, c'est, ses, etc.

(corrigé de la page 33)

1. **Ces** petit**es** fill**es** sag**es** étai**ent** les célèbr**es** personnag**es** de tous **ces** romancie**rs** bien conn**us**.
2. Il**s** **se** sont v**us** au restaurant, hier, et il**s** **se** sont parlé longuement.
3. Ses rob**es**, **ses** soulie**rs** et son manteau étai**ent** prê**ts** lorsqu'elle **s**'est levée.
4. **Ces** assiett**es** ble**ues** qui **se** trouv**ent** près de la porte d'entr**ée** de ma cuisine, **ce** sont les assiett**es** de ma grand-mère et **ce** sont de très bea**ux** souveni**rs**.
5. Il ne **s**'est jamais rendu compte que **ses** erreurs étai**ent** d**ues** aux homophones, maintenant il **se** dit qu'il les sait.
6. **C'est** vrai, **ce** que tu dis de **ce** personnage bizarre.

Facile 

Les homophones pêle-mêle !

(corrigé des pages 34 et 35)

1. Tu **sais** qu'ils **se** voient tous les jours **à** midi, **ce** n'est pas grave, mais **on** leur avait dit de nous avertir.
2. Ils **ont** cru **ces** bêtises et **on a** dû leur dire **ce** que l'**on** savait de **ces** histoires.
3. Il a perdu **ses** mitaines et **c'est** vrai qu'il ne les cherche plus depuis **ce** jour **où** tu lui en **as** acheté de nouvelles.
4. Ils **se** sont mis **à** hurler de terreur, quand **on** les a sortis de **ces** trous **où** ils étaient tombés la veille.
5. Il **s'est** regardé dans la glace, là **où** il **se** voit tous les jours, et **c'est** vrai qu'il ne **se** trouvait pas joli ; pourtant, tous **ses** amis lui disaient le contraire.
6. **Ce** crayon vaut plusieurs dollars, **c'est** vrai, car il vient de Chine et **c'est** ma mère qui me l'a rapporté.
7. **Ce** directeur **s'est** présenté **à** tous **ses** employés ; **c'est** bon pour eux de savoir **où** ils en sont et **ce** qu'ils doivent attendre de lui.
8. **On a** bien aimé **se** revoir, après **ces** vacances **où** l'**on s'est** amusés comme des fous.
9. Ils **sont** venus **à ce** rendez-vous sans que je sache qui les avait invités, mais ils se **sont** bien amusés quand même et **c'est** cela qui compte.
10. Ils **se** sont retirés de **cette** course, car ils ne savaient pas **où** aller s'entraîner et **ce** problème était insurmontable.
11. Il va **à** Montréal **ou à** Québec, car il **sait** qu'il peut trouver **à** ces endroits précis **ces** outils qu'il désire.
12. Je vais **à** l'épicerie toutes les fins de semaine et **c'est** ainsi que j'économise, car **ces** prix réduits des circulaires **on** les oublie très souvent, sans **se** rendre compte **à** quel point ils nous font économiser.
13. **Son** chandail de laine est **à** sa place et **c'est** vrai qu'il **a** pu le perdre, parfois.
14. **On a** fini de trouver **ces** homophones qui **sont** souvent plus faciles **à** écrire que l'**on** croyait.

Facile 

Finales de verbes

(corrigé de la page 36)

Il était une fois un homme qui **marchait**. Il **rencontra** soudain une petite brebis qui lui **raconta** son histoire. Il **l'écouta** sans rien dire. Quand elle **eut terminé**, il la **prit** dans ses bras et **l'emmena** jusque chez lui.

Il **était** très heureux d'avoir enfin une amie, lui qui **était** toujours seul. Il lui **fit** un lit, il se **coucha** et **s'endormit**, ce soir-là, tout confiant.

Au matin, il **ouvrit** les yeux. Il **regarda** partout. Il **était** inquiet. Plus rien. Pas de brebis en vue. Il se **mit** à pleurer. Soudain, il **vit**, sur la table de la cuisine, un beau chandail de laine. Il le **toucha** de ses doigts tremblants. Il **comprit** alors que la brebis lui **avait donné** ce précieux bien de sa fourrure pour le réchauffer pendant l'hiver.

Facile *Cuistot*

Histoire d'octobre...

(corrigé des pages 37 et 38)

Le matin se **levait** à peine quand nous **entrâmes** dans la maison. La brume, qui **couvrait** habituellement le sol alourdi de gelées d'automne, **était** à peine visible. Dans la maison, **régnait** une froide et intense humidité. J'**enlevai** mes gants et **touchai** timidement, du bout des doigts, les murs verdâtres de la cuisine où je **venais** d'entrer.

Ah ! ces murs qui nous **avaient vues** grandir ! Nous **sautions** alors, indisciplinées enfants que nous **étions**, sur tout ce qui ne **bougeait** pas : fauteuil, matelas, coussins, tout y **passait** !

Je ne **disais** mot. Mes sœurs, restées plus loin, **entrèrent** tout à coup. Ébahies, elles **regardèrent** la maison comme si elles n'y **avaient** jamais mis les pieds. Moi ? Je me **souvenais** de tout. Des odeurs de pain grillé à celles, plus subtiles, des sous-bois qui **envahissaient** ma chambre, les doux soirs d'été. De l'horloge arrêtée, suspendue telle une horrible chouette au-dessus du piano, à cette magnifique et unique toile de carton sur laquelle **reposait** un ange, penché sur un berceau.

La maison... Nous la **quittâmes** bien malgré nous. Elle **portait**, dans ses fibres, nos cauchemars d'enfants, les disputes de nos parents, les cordées de linge battues par le vent, les bulletins égarés et nos premières amours déçues. Elle **racontait** mes larmes tièdes lorsque les couvées d'hirondelles suspendues à la porte **tombaient** immanquablement, sur le perron ensablé.

Nous la **revîmes** pour la première fois, en 40 ans, mais elle serait à jamais pellicule intacte d'un passé qui me **coulait** entre les mains... pour la dernière fois.

Facile *Cuistot*

Les participes passés : être

(corrigé des pages 38 et 39)

1. Cette mère était sû**re** d'être aim**ée** de **ses** enfan**ts** et elle était convainc**ue** qu'elle avait raison.
2. Nous serions, hélas ! tous désenchant**és** de ce film.

3. Le garçon et la fille serai**ent** reven**us** de **ces** voyag**es** les mai**ns** plein**es** de trésors tous plus beau**x** les uns que les autr**es**.
4. Marie-Ève et Nory étai**ent** occup**ées à** termin**er ce** travail ; elles étaient toutes deux très concentr**ées**.
5. La vie, l'amour et le temps serai**ent** vite oubli**és** si nous étions moins attenti**fs à** les savour**er**.
6. Marc et Luis étai**ent** arriv**és** le matin, mais ils étai**ent** reparti**s** le soir même.
7. La pluie, la neige, le vent et la poudrerie seron**t** peu appréci**és** cet hiver encore.
8. «Je n'étais pas du tout fâch**ée**», disai**ent** Marie et Sonia.
9. Ils étai**ent** désol**és** du retard de cet avion qui ne partira**it** pas avant la nuit tomb**ée**.
10. Assis**es** sur le banc de ce parc, les petit**es** fill**es** semblai**ent** soum**ises** et obéissan**tes**.
11. Les phras**es** compos**ées** avec des erreur**s** grammatical**es** fatigua**ient** beaucoup Mari-Ève, qui rouspéta**it**.
12. Michael et Jeoffrey, si vous étiez ven**us** à ce rendez-vous, vous seriez reparti**s** enchant**és**, je vous le jure.
13. Trop épuis**ée** par **ses** nui**ts** d'insomnie, Nicole n'est pas all**ée** à l'école ce matin ; **ses** professeurs la comprendro**nt** bien, elle en est tout à fait assur**ée**.
14. Les garçons et les filles serai**ent** reparti**s** enchant**és** de **ce** voyage, **c'est ce** qu'**ils** dise**nt**.
15. Les villes de pays lointai**ns**, conqui**ses** et mainten**ues** dans la terreur, pourra**ient** bien, un jour **ou** l'autre, être des villes d'ici.
16. La marche nuptia**le** n'est plus chant**ée** de nos jou**rs**, car les gens préfèr**ent** ne plus se marier.

Moyen

D'autres êtres !

(corrigé des pages 39 et 40)

1. La peine de mort est heureusement abol**ie** dans de nombreux pays d**its** développ**és** et plusieurs en sont rav**is**.
2. Les pompiers ont été fort bien accueill**is** lors de **ces** fêt**es** organis**ées** pour eux, il est erron**é** de croire le contraire.
3. Cette femme, malgré les prouess**es** prestigieus**es** de **ses** avoca**ts**, ava**it** été injustement accus**ée** et les tribunaux ava**ient** refusé de lui donn**er** une seconde chance.
4. Sa petite-fille est malade en automobile, aussi, son grand-père doit-il tenir la vitre baiss**ée** lorsqu'ils sont en voiture, **ce** qui l'aide **à se** sentir soulag**ée** et dispos**ée**.
5. La banque fut assiég**ée** par des crimine**ls** endurc**is**, mais les polici**ers**, appel**és** sur les lieux, sont vite parven**us à** libér**er** les otag**es**, ten**us** jusque-là en captivit**é**.
6. Lors des jeux olympiques, les sportifs ont été accus**és** de dopag**e**, ils ont été disqualifi**és** et plac**és** sous surveillanc**e**.

7. Les marais, dont on entenda**it** le chant des grenouill**es**, l'été, ont été asséch**és** par des clima**ts** rend**us** trop chau**ds**.
8. Notre enfance et celle de nos enfant**s** avai**ent** été berc**ées** par des histoires maint**es** fois racont**ées**, toutes enjoliv**ées**.
9. Avec le réchauffement planétaire, les récoltes sont diminu**ées** par la sécheresse qui envahi**t** nos saisons ; aussi, les humains sont-il**s** invit**és à** se responsabilis**er**.

Facile 

Les participes : avoir

(corrigé des pages 41 et 42)

1. Les visit**es** qu'ils ava**ient** fait**es** en fin de semaine ne les ava**ient** pas beaucoup rassur**és**.
2. Nous l'avons visit**ée**, la ville de Québec ; les ru**es** y éta**ient** ensoleill**ées**.
3. Le garçon et la fille les ava**ient** conn**us ces** problèm**es** de santé, mais ils ava**ient** aussi reçu beaucoup d'amour pour les encourager.
4. Lyne les avai**t** ador**és**, **ces** enfan**ts**-là et elle avait tout fait pour qu'ils so**ient** heureux, malgré les difficult**és** rencontr**ées**.
5. **Ils** les ava**ient** rev**us** ces livr**es** de leur jeunesse.
6. Tu ne nous ava**is** pas invit**és** à ces soup**ers** que tu avais donn**és** et nous étions pein**és**.

7. Les livr**es** enti**ers** que j'ai **lus**, tout au cours de ma vie, m'ont toujours intéress**ée**, disait ma voisine.
8. Ils les ava**ient** réuss**is**, leurs exame**ns** de fin de session, mais i**ls** éta**ient** diffici**les**.
9. Elles les leur ava**ient** toujours offer**tes**, les félicitatio**ns** qu'ils ava**ient** espér**ées**, pourtant, les enfan**ts** éta**ient** encore un peu déç**us**, car ils ava**ient** souhaité plus d'encouragement.
10. Les mignonn**es** petit**es** fill**es** de la pouponnière, nous les avions pri**ses** dans nos bras ; ell**es** éta**ient** fragil**es** sous leur petit chapeau.
11. Je les ai surpri**ses** et ell**es** se sont envol**ées**, ces petites mouch**es** noi**res** qui se trouva**ient** dans la classe.
12. Les auteurs, l**us** par de nombreux élèv**es**, n'éta**ient** souvent pas conn**us** du public.

Moyen 

D'autres avoirs !

(corrigé des pages 42 et 43)

1. Les pommes, lav**ées** et pel**ées** avaient été plac**ées** dans le garde-manger et **on** les avait dévor**ées** après le souper.
2. Les phrases compliqu**ées** ava**ient** été cré**ées** dans le but de nous faire avancer, cependant, nous les avions ignor**ées**.

3. Céline les a e**ues** avec toi, Lynda, ces conversations teint**ées** d'humour et rempl**ies** de petites anecdotes.
4. Luc me les a rend**us**, ces documen**ts** reli**és** que tu lui as demand**és** ; il les a imprim**és** au bureau, au cou**rs** de la soirée ; ils seront **lus** avec attention, dès demain.
5. Tu l'as berc**ée**, cette enfant si tapageuse, et elle est deven**ue** **tout à coup** calme et sereine.
6. Susan les a compri**ses**, les règles qui régissa**ient** les participes pass**és** employ**és** avec avoir ou être.
7. Les femmes qui ont assum**é** ces fonctions l'an dernier sont part**ies** à la retraite et seront remplac**ées** sous peu.
8. Voici des fleurs, des perles et des fruits que j'ai achet**és** pour vous, chez ces marchan**ds** très occup**és**.
9. C'est sa gentillesse que nous avions appréci**ée** et qui nous a le plus profondément manqu**é** lorsqu'elle nous a quitt**és**.
10. Les grands chagrins que Carolyne a eu**s** l'ava**ient** marqu**ée** profondément, mais elle était à nouveau rempl**ie** d'espoir.
11. Ma petite sœur fut baptis**ée** du doux nom de Manon, mais ma mère, n'ayant pu assist**er** au baptême, croyait qu'elle avait été prénomm**ée** Hélène.
12. Les folies que nous avons fai**tes** dans notre jeunesse, nous ne voulons pas que nos enfants les fass**ent** à leur tour.
13. Les paroles que tu m'as chuchot**ées** resteron**t** grav**ées** dans ma mémoire et ne seron**t** jamais oubli**ées**.

Facile

Pronominaux

(corrigé des pages 43 et 44)

1. Elles s'éta**ient** amus**ées** à repeindre cette drôle de fenêtre et elles s'éta**ient** arrêt**ées** après quelques heures, fatigu**ées** et presque épuis**ées**.
2. Nous nous étions rencontr**és** sur le boulevard, sous la pluie torrentie**lle** de **ce** mois de septembre.
3. Ils s'éta**ient** mêl**és** à nous, et ce, sans que nous ayons **à** les convaincr**e**.
4. Michel, Nicole et Élodie s'éta**ient** parl**é** longuement de **ce** débat sur la Constitution.
5. Tu l'avais v**ue**, cette automobile dont l'immatriculation affichait : « Nous nous sommes souven**us** » ?
6. Si tu l'avais voul**u**, nous nous serions amus**és** pendant **ces** projectio**ns**-là, que nous avions trouv**ées** un peu trop longu**es**.
7. Les petits oisea**ux** ble**us**, pos**és** tranquill**es** dans le jardin, se sont envol**és** dès que Lyne est sort**ie** de la maison.
8. Josianne, mon am**ie** d'enfance, ne s'est jamais compl**u** dans le malheur.
9. Les fervent**s** cathol**iques** se sont agenouill**és** devant l'autel ; quelque**s** personn**es** qui passa**ient** par là se sont moqu**ées** d'eux.

Facile 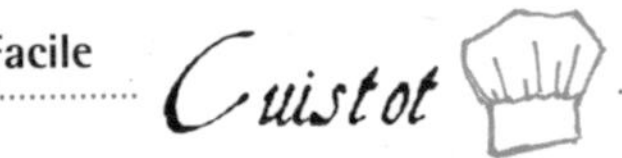

Pronominaux

(corrigé des pages 44 et 45)

1. Je me suis absent**ée**, disait Marie à sa voisine.
2. Tu t'étais enfu**ie**, Lise, sans demander ton dû.
3. Nous nous serions plain**ts** du directeur.
4. Ils se sont embrass**és**, fiers de s'être retrouv**és**.
5. Elles se sont lev**ées** trop tard.
6. Vous vous étiez évanou**is** de peur, Messieurs.
7. Nous nous étions coup**é** les cheveux.
8. Vous vous seriez défai**ts** de ce chien malade.
9. Maryse et Chantal se seraient n**ui** en voulant s'aider.
10. Elles se sont prélass**ées** au soleil comme des lézards.
11. Nicole s'est vite rend**u** compte de son erreur.
12. Ils s'étaient r**i** de nous.
13. Elles se sont compl**u** dans leur malheur.
14. Les chatons s'étaient démen**és** comme des diables.
15. Sans votre aide, ils se seraient sans doute suicid**és**.
16. Luc et Paul se sont attir**é** de beaux problèmes !
17. Les marchandises se sont vend**ues** rapidement.
18. La jeune femme s'est enfin trouv**é** un emploi.
19. Ces amoureux se sont découver**ts** et ils se sont ador**és**.
20. Les emplois que vous vous êtes trouv**és** sont fort bien rémunérés.
21. Ainsi déguisées, elles s'étaient vu**es** dans le miroir et elles s'étaient mi**ses** à rire.
22. Les enfants se sont élanc**és** sur leurs grands-parents.
23. La petite Julie s'est bris**é** le genou en tombant.
24. Les nouveau-nés se sont endorm**is** sans tarder.

Facile 

Les participes, saveurs étranges

(corrigé des pages 45 et 46)

1. La peine qu'il a ressenti**e** était plus importante que je ne l'avais imagin**é**.
2. Vous trouverez les feuilles ci-joint**es** dans les livrets ci-annex**és**.
3. De tes problèmes et des réalités que tu vivais, personne ne m'en a parl**é**.
4. Ces joies, il aurait fall**u** qu'il les vive plus tôt.
5. Tu m'as raconté toutes ces choses dont tu avais p**u** te souvenir.
6. Les 20 dollars que ces bricoles m'ont coût**é** me semblent, à présent, du vol.
7. Pass**é** ces jours sombres, tu t'étais sent**ie** de nouveau en santé, Martine.

8. Les jours attendu**s** dans la fébrilité rapportent de la joie, celle que nous avions espér**ée**, en fait.
9. Les garçons étaient ten**us** à l'écart, les filles y compri**ses**.
10. Étant donn**é** les erreurs pass**ées**, nous vous comprenons mieux.

Difficile *Cordon-bleu*

L'ourse

(corrigé des pages 46 à 48)

Nous étions convainc**us** et nous en avions conven**u** : nous les aurions pri**ses** avant la brunante, ces images tant espér**ées** de l'ourse. Depuis déjà un mois et demi, nous l'avions surveill**ée**, traquant chacun de ses pas, humant l'air qu'elle humait, parfois terroris**és** tous les trois par sa présence et, l'instant d'après, tout à fait subjugu**és** par sa prestance.

C'est qu'elle était magnifique ! Splendide, même. De plus, elle était mère... elle avait mi**s** bas au printemps et nous étions déjà à la mi-juin.

C'est par un pur hasard que nous l'avions découver**te**, avec ses petits. Cet après-midi-là, nous nous étions donn**é** rendez-vous près de la cabane, au fond du bois. Trois jeunes garnements, insouciants et libres, nous fuguions volontiers quand arrivait le printemps, l'école buissonnière étant celle où, depuis toujours, nous avions obten**u** les meilleurs résultats !

Épuis**és** par la course folle de l'école jusqu'à notre refuge improvis**é**, nous ne les avions pas remarqu**és** tout de suite : ce n'est qu'au grognement extraordinaire de la mère que nous avions compri**s**. Elle fonçait droit sur nous, pri**se** de rage et habit**ée** tout à coup d'un sens aigu de protection : sauver ses petits semblant son seul but, quitte à y perdre elle-même la vie.

Nous étions jeunes et inexpériment**és**. Cet amour et cette abnégation nous étaient tout à fait étrangers. C'est pourquoi nous avions mi**s** un certain temps avant de réagir et de prendre nos jambes à notre cou. Il était plus que temps ! Fougueuse, amoureuse de ses petits et néanmoins rempl**ie** d'une haine palpable et féroce à notre égard, la mère fonçait littéralement sur nous.

Les sentiers à peine dessin**és** de cette forêt ombrageuse, c'est peu dire qu'on les avait déval**és** ! Essouffl**és**, apeur**és**, mais profondément rav**is**, nous étions enfin parven**us** à la lisière de ces bois deven**us** porteurs d'un sens non imagin**é** : une mère ourse et ses petits y grandissaient, à l'abri de la folie des hommes.

Ces images de la vie, grandeur nature, nous les avions voul**ues** pour nous, pour ces jours maussades et rempl**is** de vide qui viendraient inexorablement ternir nos plus intimes souvenirs. Ces images de la vie, nous les voulions pour oublier que nous avions gran**di** et que nous serions, désormais, confront**és** au banal et à l'insipide du quotidien.

Nous désirions immortaliser les petits, tétant goulûment le ventre montagnesque de leur mère. Nous les avions espér**és** des nuits durant, ces oursons. Nous nous étions donc retrouv**és** là presque chaque jour depuis le début mai. Nous y étions reven**us** une dernière fois cet après-midi-là, convainc**us** qu'il nous les aurait fall**u**, ces images uniques deven**ues** si précieuses.

Arm**és** de notre seul appareil photographique, tap**is** sur le sol comme des guerriers sans guerre, nous avions e**u** la mère à l'œil. Nous le sentions, c'était aujourd'hui ou jamais. Il faisait un soleil magnifique, à peine estomp**é** par les branches des arbres. C'était un bel après-midi d'été. Les petits avaient grand**i**. Malgré l'interdit fulgurant émi**s** par la mère, nous les avions maintes fois v**us** et savourions ces moments bén**is** où, comme nous, ils échappaient à l'auguste vigilance. Ils étaient rondelets, leur ventre rebond**i** prouvant hors de tout doute que le bonheur est dans les prés ! Ils jouaient, roulaient dans l'herbe haute et, ébah**is**, nous assistions à ce spectacle. Au moment où nous allions dégainer notre arme photographique, la mère nous vit.

Lentement, elle se leva. D'un grognement sourd, elle donna l'ordre aux oursons de se cacher derrière elle. Elle s'assit alors, aussi immobile qu'un bouddha de pierre, et resta ainsi plusieurs heures. Jusqu'à la brunante, en fait. Lorsque nous avons quitt**é** le bois, ce soir-là, la pellicule était demeur**ée** vierge, mais nous avions **eu** le cœur rempl**i** de l'amour maternel d'une ourse pour ses petits. Nous avions compris, et pour toujours, où se trouvaient les plus belles images. Libér**és** de l'absurde et inutile poids de notre quête, nous allions passer le plus merveilleux de tous nos étés.

(dédié à Jean-Claude Lauzon)

Moyen

Les leur sont des leurres

(corrigé des pages 48 et 49)

1. Je leu**r** avais bien dit que leu**r** pein**e** était trop grande pour être consol**ée** en un seul jour.
2. Ils nous les ava**ient** racont**és**, leu**rs** souveni**rs** de voyage, leu**r** retou**r** dans la tempête et leu**r** goû**t** de repartir au plus vite, malgré tout.
3. Après ce spectacle, au cou**rs** duquel elles ava**ient** donn**é** « leu**r** meilleu**r** », elles ava**ient** mis leu**r** mantea**u** en peau de renar**d** et, malgré les difficultés rencontr**ées**, elles éta**ient** repart**ies** sans hont**e** de leurs performances.
4. Kathleen et Guylaine s'éta**ient** rencontr**ées** après leu**r** dîne**r** et ell**es** s'éta**ient** donn**é** de vagu**es** nouvell**es**.
5. Sans sourir**e**, la vie serait sans écla**t** et sans joi**e**.
6. Des moments de bonheu**r** et de tristess**e** jalonn**ent** leu**r** vi**e**.
7. Ce matin-là, après l'incendie de leu**r** domicil**e**, nous sommes restés près de leu**rs** enfan**ts**, Mylène et Fabrice, et nous avons apport**é** de succulen**ts** repas pour égayer leu**r** journé**e** sans sole**il**.
8. Les jours les séparant de leu**r** retrait**e** éta**ient** compt**és** et ce n'est pas sans joi**e** qu'ils les attenda**ient**.
9. De bo**ns** suje**ts** de conversatio**n** sont toujours appréci**és** quand nous allons **chez eux**.

10. Ils lisaient leur journal en prenant leur café.
11. Tu les leur as demandées, les copies ci-jointes, et ils te les ont rapportées sans retard.
12. Leur session d'hiver terminée, tous leurs examens passés, nous leur donnerons leurs notes sans retard.

Facile *Cuistot*

Exercices sur les tout, les quelques, les autres règles apprises

(corrigé de la page 50)

1. Les mamans, tout énervées, voyaient arriver les enfants de leur premier voyage.
2. Elle n'a pu attendre que quelques minutes avant son arrivée, car elle était très oppressée, bousculée même, par tous ces récents événements qui l'avaient perturbée.
3. Elle lui a remis quelque deux-cents dollars et il est parti avec tous ses bagages.
4. Vos dictées de fin de session étaient souvent comparées à des moments de torture, pourtant vous étiez bien préparés.
5. Tu as la tête et le cœur tout remplis de musique et de chansons.
6. Toutes ces magnifiques maisons rouges que tu avais aperçues près de la mer étaient habitées, l'été, par quelques vacanciers que tu ne connaissais pas.
7. Vous leur racontiez tous vos souvenirs.
8. Tous les jours, quelle que soit la température, elles se levaient à la même heure.
9. J'ai mis de beaux gants neufs pour aller à ce spectacle de marionnettes avec mes enfants.
10. Leur amitié était si forte ! Ils s'étaient connus au cours de leur enfance et ne s'étaient jamais quittés.

Moyen *Chef*  

Quelques autres exercices

(corrigé de la page 51)

1. Quelles que soient les heures investies, ton travail, tu devras le reprendre.
2. Tu as conduit quelque trois-cent-cinquante kilomètres et tu ne t'es pas sentie fatiguée, Maryse ?
3. Ah ! cher enfant ! tu trouves toujours quelques bonnes raisons pour expliquer le désordre de ta chambre ; sans doute est-ce dû à ton adolescence.
4. Lysa me disait : « Depuis quelques heures, je travaille, mais toi, Sonia, je me suis rendu compte que, depuis quelque temps, tu as terminé. »
5. Quelques merles se sont envolés ce matin, vers de lointains horizons ; ils nous reviendront.
6. Tu les as maintes fois lus, ces quelque cent livres.

7. Avant d'arriv**er** à la fin de la session, il nous faudra faire quelqu**es** exercic**es** et les reprendr**e** aussi souvent qu'il sera nécessaire, fournissant ainsi de rée**ls** effor**ts**.
8. Michael et Joyce ava**ient** vraiment fait preuve de quelqu**e** indulgenc**e**, il faut en convenir, mais ils s'éta**ient** aperç**us** que leu**r** bonheu**r** était plus fragile qu'ils ne l'ava**ient** prév**u**.
9. Ces quatre-vingt**s** kilos, est-ce possible qu'il les ait déjà pes**é**? Que**lle** qu'en soit la cause, il en a perd**u** beaucoup depuis ces dernières semaines, et ce, sans régim**e**.

Moyen *Chef*

Quoi que, quelquefois, etc.

(corrigé de la page 52)

1. **Quelquefois**, je pars me promener pour me détendre **plutôt** que de rester là, à me faire **davantage** de souc**is**.
2. Les **quelques fois** où tu as dû t'absenter, tu n'es pas arriv**ée** **plus tôt** que prévu, Éliane, et tu avais **davantage** de travail.
3. **Quoi que** tu en dises, je préfère **plutôt** les bananes aux pruneaux, même si ces derniers contienn**ent** **davantage** de vitamines.
4. Quan**d** il l'a aperç**ue**, sur le trottoir, il a salu**é** Mélina, sans en dire **davantage**.
5. Lise, **quoique** malade depuis une semaine, s'est empress**ée** d'arriver **plus tôt** que prévu ; quan**t** à Robert, il lui arrive **quelquefois** de ne pas avis**er** quan**d** il est en retard.
6. «Si tu en faisais **davantage**, je serais étonn**ée** et un peu surpri**se**, car **quelquefois**, tu te contentes de faire le minimum», me disait ma grand-mère ador**ée**.
7. Vous conviendrez avec moi qu'il y a plus **d'avantages** à procéder de cette façon, **quoi que** puissent en penser vos collègues.
8. Maîtris**er** l'informatique est une qualité pleine **d'avantages**.
9. **Quoique** nous soyons en santé, nous préférons **quelquefois** nous reposer **plutôt** que de faire du sport ; quan**t** à lui, il fait les deux.

Difficile *Cordon-bleu*

Hommage à Romain Gary

(corrigé des pages 53 et 54)

Cet auteur, je le lisais **quelquefois** près de la fontaine. Les oiseaux n'y gazouilla**ient** jamais le soir, mais **plutôt** le matin. Quelqu**es** pag**es**, décoll**ées** et froiss**ées**, me rappela**ient** que je l'aimais tant ! **Plutôt** que relire toute son œuvre, ce que j'avais déjà fait maintes fois, je relisais *La vie devant soi.*

Il s'appelait Romain Gary **ou**, **quelquefois**, Émile Ajar. Il avait us**é** de cette imposture, **davantage** pour tromp**er** les journalistes que pour défi**er ses** lecteurs. Quan**d** on le lisait d'assez près, avec l'attentio**n** et l'intelligence du cœur, on reconnaissa**it** facilement tou**s** les attributs de son écriture si particulière. **Quelquefois** cynique, **plutôt** bavard, il était toujours drôle, de cet humour rebelle qui confinait **davantage** au désespoir.

Ses lecteurs l'ava**ient** aim**é** plus que tout. **Ses** détracteurs, quelqu**es** journalist**es**, l'ava**ient** brisé. Dans l'isolement de son écriture, avec so**n** talent grandios**e**, o**n** l'avait, d'une certaine façon, forcé **à** se cach**er** pour écrire. **À** se cach**er** sous un nom d'emprunt. Romain Gary : Émile Ajar. Tou**s** deux ne faisa**ient** qu'un.

Quoique personne ne se soit dout**é** de sa double existence, il avait peur. Peur de pass**er** pour un voleur, peur de tou**s** **ses** lecteurs auxque**ls** il n'aurait pas voulu déplaire. Mais, il écrivait plus encore, **quelquefois** sous le nom de l'un, **quelquefois** sous le nom de l'autre.

Quan**d** il s'est donn**é** la mort, en 1980, la vérit**é**, **on** l'a enfin conn**ue**. Les prix qu'il avait gagn**és**, les honneurs qu'il avait reç**us**, tou**t** cela fut mis en évidence. Pourtant, ce qui toujours restera grav**é** dans les mémoires, c'est que cet écrivain est le seul **à** avoir gagn**é** deux fois le prix *Goncourt* !

Oui, il écrivait sous un nom d'emprunt, mais les journalistes qui l'accusa**ient** d'écrire toujours les même**s** chos**es** ne s'en éta**ient** jamais rend**u** compte ! Quan**t** à moi, assise là, près de la fontaine, **quoique** si triste de sa fin tragique, je voyais, à travers chacune des pag**es** de *La vie devant soi*, froiss**ées** d'être tant **lues** et rel**ues**, à quel point cet homme extraordinaire avait réuss**i** **à** s'impos**er**, dans la vie, hélas ! désormais « derrière soi » !

Difficile *Cordon-bleu*

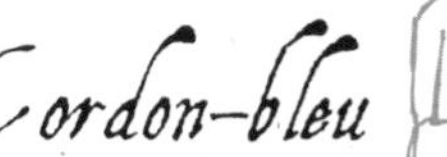

Je me souviens

(corrigé des pages 54 à 56)

Elle nous avai**t** invit**és** à **ce** souper d'anniversaire**.**_ **Nous** en étions émerveill**és** **!**_ Cela faisait bientôt huit ans que nous habitions la maison de **m**adame Desrosiers (nom entre tous prédestin**é**,_car **ses** terrai**ns** entie**rs** éta**ient** tapiss**és** de ro**ses**)**,**_ et voilà que la propriétaire nous invitait à cette grande fête qu'elle avait organis**ée**,_ en l'honneur de la vie**.**_ Nous sommes donc arriv**és** vers 17 heur**es**,_ histoire de prendre l'air et une bonne gorgée de cette tisane si particulière dont **m**adame Desrosiers seu**le** <u>possédait</u> la recette**.**_ Elle nous attendait**,**_ sans impatienc**e**,_ de larg**es** rid**es** parsema**ient** son front et ses jou**es**,_ blêm**ies** par la maladie**.**_

C'est que**,**_ depuis plus d'un mois**,**_ <u>elle les avait reç**us**</u>, <u>ces fameux diagnostics qui font si peur</u>**.**_ Elle avait deux cance**rs**,_ mais qu'importe **!**_ Elle avait aussi le goût de vivre et **c'**est cela qui l'avait motiv**ée** à organis**er** cette fête**.**_ Nous venions <u>célébr**er**</u>**,**_ nous avait-elle dit en nous invitant**,**_ l'anniversaire de l'existence **:**_ elle **aurait** 80 ans ce jour-là **!**_ <u>Alors qu'un tel diagnostic nous aurait rend**us** fous d'angoisse, elle demeurait</u> enjou**ée**,_ rieuse**,**_ rempli**e** d'humour et de sagesse**.**_ **«**_ **V**oyons donc**,**_ les amis**,**_ avoir peur de la mort à 80 ans **!**_ Il <u>me</u> faudrait être <u>folle</u> **!**_ J'ai **vu pire** de mon vivant que ce que je ne verrai pas en mourant**.**_ **»**_ **C'**est cet humour empreint de sagess**e** qui nous faisait l'admir**er**.**_ Nous l'avions conn**ue** ainsi et elle n'avait pas changé._ Elle ne changerait pas pour un diagnostic,_ nous répétait-elle le front rieur._

Sur les tables,_ ornées de fleurs sauvages,_ se trouvaient d'innombrables petits plats,_ mijotés avec tant d'amour que nous en étions ébahis._

On pouvait à peine parler,_ tant on était émus._ C'est elle qui prit la parole :_ «_Bonsoir,_ chers amis !_ Le plaisir est grand de vous recevoir chez moi,_ vous qui avez pris soin de ma maison depuis plus de huit ans déjà !_ J'ai tout préparé,_ les tables y comprises._ Vous pouvez donc profiter de tout,_ sans vous poser de questions._ Faites donc comme chez vous !_ »_

L'atmosphère n'était pas lourde._ Madame Desrosiers savait y faire._ Une musique des années 1950 baignait la pièce (_éclairée par le soleil de fin d'après-midi)_ d'une grande paix._ Tous les plats,_ posés sur la table comme des reliques saintes,_ nous invitaient à nous laisser gâter._

Capucine,_ la vieille chatte noire,_ ronronnait doucement,_ bien assise sur les genoux de sa maîtresse._ Plutôt timide d'habitude,_ elle était,_ ce soir-là,_ tout à fait calme,_ comme si les choses tues,_ elle les avait comprises._

C'est,_ une fois de plus,_ madame Desrosiers qui rompit le silence paisible qui nous berçait._ «_ Je me suis souvenue de chacun des détails de ma jeunesse,_ quand je l'ai achetée,_ cette chatte._ Je me suis levée,C ce matin-là,_ avec la vive émotion de mes quinze ans._ J'avais envie d'un animal à protéger,_ et voilà que Capucine est entrée dans ma vie._ N'est-ce pas,_ ma belle ?_ »_

Capucine,_ d'un miaulement doux,_ lui répondait,_ habituée qu'elle était aux confidences de sa maîtresse,_ à leurs échanges si subtils,_ presque amoureux,_ à toutes deux._ «_Mais..._ passez donc à table !_ Je suis sotte de vous laisser languir devant tant d'arômes._ Vous devez mourir de faim,_ »_ s'écria-t-elle tout à coup._ Devant tant d'énergie,_ nous nous sentions gênés,_ nous nous percevions un peu comme des voyeurs,_ hypnotisés par l'admirable richesse de cette vieillesse que plus rien n'effrayait._

Nous l'avons dévoré,_ ce souper,_ nous les avons goûtées,_ chacune de ses paroles._ Puis,_ la vieille horloge sonna vingt-et-une heures._ Le temps avait coulé,_ doucement,_ comme les quatre-vingts ans que nous avions fêtés ce soir-là._

Nous nous sommes laissés sur tous ces moments de grâce,_ sur toutes ces vérités à peine murmurées,_ puis,_ heureux et aussi paisibles que madame Desrosiers,_ nous sommes entrés chez nous,_ chez elle,_ prenant,_ en son honneur,_ chacun une rose aux nombreux jardins fleuris qu'elle nous avait laissés en héritage._

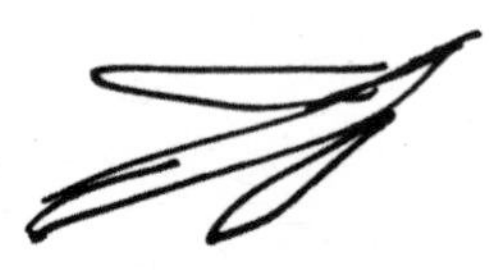

Voici ce que la chef a concocté spécialement pour vous...

Auteure des *Mordus*:
Christiane Asselin

Auteurs invités:
Louis-Gilles Molyneux
Francis Pelletier

Direction artistique:
Tatou communication visuelle
& Francis Pelletier

Illustrations:
Geneviève Bellehumeur

Révision linguistique:
Claudette Deschênes
Jessica Genest

Infographie:
Lysane Beauchemin
Francis Pelletier

Impression:
Imprimerie Dumaine

Papier:
Cascades Groupe Papiers Fins
Division Rolland

Reliure:
Reliure RSP

Communication:
Sonia Blain

Distribution au Québec et au Canada:
Les Éditions RDL
102, rue Féré, Saint-Eustache, Qc, J7R 2T5
tél. 1 866 632-1809 / téléc. 450-974-6993
info@editionsrdl.com / www.editionsrdl.com

Édition:
Les Pelleteurs de nuages inc.
425, rue Lacroix, Nicolet, Qc, J3T 1K3
tél. 819-293-2259 / téléc. 819-293-2402
info@lespelleteursdenuages.com
www.lespelleteursdenuages.com

LES PELLETEURS DE NUAGES

ISBN 978-2-920926-09-7

Dépôt légal - Bibliothèque et Archives nationales du Québec, 2007

« Il y a ceux qui ont tout pour réussir et ceux qui réussissent malgré tout. »

- Francis Pelletier -

Extrait de l'affichette *La différence* (Les Pelleteurs de nuages)